何進盛　林敬文　范淑芬
徐琬章　林文鎮　李　春
編著

新編五專國文

第一冊

文史哲出版社印行

國家圖書館出版品預行編目資料

新編五專國文/ 何進盛等編著. -- 初版. -- 臺
北市：文史哲, 民 96
頁： 公分. --
ISBN 978-957-549-735-4（第一冊：平裝）

1.國文科 2.讀本

836 96016760

新編五專國文 第一冊

編著者：何進盛　林敬文　范淑芬
徐琬章　林文鎮　李　春
出版者：文史哲出版社
http://www.lapen.com.tw
登記證字號：行政院新聞局版臺業字五三三七號
發行人：彭正雄
發行所：文史哲出版社
印刷者：文史哲出版社
臺北市羅斯福路一段七十二巷四號
郵政劃撥帳號：一六一八〇一七五
電話886-2-23511028・傳真886-2-23965656
定價新臺幣二八〇元
中華民國九十六年（2007）九月初版

ISBN 978-957-549-735-4

新編五專國文　第一冊　目次

編輯說明

一、本教材是根據教育部頒布九五學年實施之五年制專科學校課程綱要編寫而成，共分六冊，供五專二、三年級使用。

二、本教材有四大目標：其一、培養閱讀、寫作、鑑賞、批評之能力。其二、了解我國文學的理論、源流、類別，以及各個時代，各項文體的主要觀點、作家、作品。其三、訓練歸納、演繹、推論、判斷等思考方法。其四、確立適切的思想觀念、國家意識，體認民主精神、文化本質。

三、本教材之選文，兼顧到作品的體裁及內容，也留意到各個時代、各個流派的代表作家、作品；希望能做到「縱」的銜接─史的連貫，與「橫」的聯繫─類的擴充。除了創作作品外，還選了有關文學評論的文章。而為了增加教學的彈性，每一冊的文章篇數，也比實際能講授的多了一些，可供同學自行參閱。

四、本教材之編排，分文言文、文化教材（論孟學庸）、詩詞曲、白話文、應用文五部分，分別依其特性，做系統的編排。

1文言文：以教育部公布的四十篇核心文言文為主，依難易分編於各冊。六冊分成三個循環（一、二冊一個循環，三、四冊一個循環，五、六冊一個循環），每個循環依「從古至今」之序選文；一個循環比一個循環更加深內容。篇名標有◎符號者，為部頒「後期中等教育共同核心課程『國文』課程指引」之「十五篇文言文」參考選文。

2文化教材：第一、二冊選讀論語，每冊兩課，共四課，分別是有關「仁、忠、恕」、「孝、弟、義」、「禮、正名」、「宗教、天命」的篇章。第三、四冊選讀孟子，同樣每冊兩課，共四課，分別是有關「善性」、「義利、養氣」「性、命」「王道、仁政、民本」的篇章。第五冊選讀大學、中庸。

3詩詞曲：第一冊選絕句，第二冊選律詩，第三冊選詩經，第四冊選古體詩、樂府詩，第五冊選唐宋詞，第六冊選元代散曲。

4白話文：分理論、新詩、小說、散文四大類，含元明清古典小說、民國以來散文、小說，日據時代臺灣先賢散文、小說，現代作家散文、小說，及現代詩選等。

5應用文：第一冊為「書信、便條、名片」，第二冊為「柬帖、會議文書、傳真」，第三冊為「契約、規章」，第四冊為「履歷、自傳」，第五冊為「一般公文」，第六冊為「存證信函、啓事、廣告」。

五、本教材單篇體例，依教學之需要，分別有作者、題解、注釋、結構、欣賞、討論等項，除了敘述時講求簡要，使用語體文，不做考證之外，尙有幾點跟一般的教材不同：

1作者：生平介紹採年表式，以方便參閱。

2注釋：直接解說含意，非必要，不稱引典故或前人注文。

3結構：依文章性質，有的注重全篇綱目的整理，有的只做精華歸納，不是說說各段大意而已。

4欣賞：直接說出其蘊含或技巧所以高妙之處，而避用玄虛的形容語彙。

5討論：這是教材最特殊的部分，注重整體性的研思；透過「討論」，前述的編輯目標才可以落實，「國文課」也才不至於落入韓愈所謂「小學而大遺」。

六、依部頒課程綱要「國文一」：授課學分數爲3（語體：50％ 文言：50％）。教學內容應包含：範文（記敘文4篇 抒情文3篇 論說文3篇）、文化教材、應用文、作文四部分。

七、本教材從策劃、訂體例、選文、編寫，一直到校稿完成，我們都竭盡心力，小心翼翼地在進行，唯才智有限，疏漏難免，還請高明之士多所指正，使本教材更精良，使國文教學更完美。

民國九十六年八月編者謹誌

一　晏子春秋選

晏子春秋

〔作者〕

晏子，名嬰，字仲，謚平，春秋齊國萊地夷濰人，生年不詳，卒於齊景公四十八年（西元前五〇〇年）。深具政事謀略，外交才能，曾輔佐齊靈公、莊公、景公，謹言愼行，敢於進諫，對內安撫百姓，對外結交諸侯，功績至偉。自奉儉約，食不重肉，妾不衣帛，常以祿米救濟貧困。

晏子春秋，舊題晏嬰所著，實爲僞託；細看內容，當爲晏子死後，傳其學者，雜採其言行而成。書中重禮、重仁政愛民，而以節儉爲中心。

〔題解〕

本課四則，第一、二則分別選自晏子春秋內篇雜下，寫晏子善辯，應對如流，不喪國尊，反使楚王自取其辱。第三則選自內篇諫上，表現晏子進諫的勇氣，以及愛民的思想。第四則選自內篇諫下，除敢於進諫外，晏子認爲任賢之道有三：一爲有賢者則須知，二爲知而能用，三爲用而能任。

〔本文〕

一

晏子使楚(1)，楚人以晏子短，爲小門于大門之側而延(2)晏子。晏子不入。曰：「使狗國者，從狗門入；今臣使楚，不當從此門入。」儐者(3)更道，從大門入。

見楚王。王曰：「齊無人耶？使子爲使。」晏子對曰：「齊之臨淄(4)三百閭(5)，張袂成陰(6)，揮汗成雨，比肩繼踵(7)而在。何爲(8)無人？」王曰：「然則何爲使子？」晏子對曰：「齊命使，各有所主。其賢者使使賢主，不肖(9)者使使不肖主。嬰最不肖，故宜使楚矣。」

二

晏子將使楚。楚王聞之，謂左右曰：「晏嬰，齊之習辭(10)者也。今方來，吾欲辱之，何以也(11)？」左右對曰：「爲其來(12)也，臣請縛一人，過王而行。王曰：『何爲者也？』對曰：『齊人也。』王曰：『何坐(13)？』曰：『坐盜。』」

晏子至。楚王賜晏子酒。酒酣，吏二縛一人詣王，王曰：「縛者曷爲者也？」對曰：「

齊人也。坐盜。」王視晏子曰：「齊人固善盜乎？」晏子避席⒁對曰：「嬰聞之：橘生淮南⒂，則爲橘；生于淮北，則爲枳⒃。葉徒相似，其實味不同。所以然者何？水土異也。今民生長于齊不盜，入楚則盜，得無⒄楚之水土，使民善盜乎！」王笑曰：「聖人非所與熙⒅也，寡人反取病⒆焉。」

三

景公⒇之時，雨雪三日而不霽(21)。公被狐白之裘(22)，坐于堂側階。晏子入見，立有間(23)。公曰：「怪哉！雨雪三日而天不寒。」晏子對曰：「天不寒乎？」公笑。晏子曰：「嬰聞古之賢君，飽而知人之飢，溫而知人之寒，逸而知人之勞。今君不知也。」公曰：「善！寡人聞命矣。」乃令出裘發粟，以與飢寒者。令所睹于塗者，無問其鄉；所睹於里者，無問其家；循國計數(24)，無言其名。士，既事者兼月，疾者兼歲(25)。

孔子聞之曰：「晏子能明其所欲，景公能行其所善也(26)。」

四

景公出獵，上山見虎，下澤見蛇。歸，召晏子而問曰：「今日寡人出獵，上山則見虎，下澤則見蛇，殆(27)所謂不祥也？」晏子對曰：「國有三不祥，是不與焉(28)：夫有賢而不知，一不祥；知而不用，二不祥；用而不任(29)，三不祥也。所謂不祥，乃若此者。今上山見虎，虎之室也；下澤見蛇，蛇之穴也。如(30)虎之室，如蛇之穴而見之，曷爲不祥也？」

〔注釋〕

(1)楚—春秋時國名。其地約包括今湘、鄂、皖諸省。
(2)延—引進。
(3)儐者—迎接賓客者。儐，音ㄅㄧㄣˋ。
(4)臨淄—齊國國都。今山東省臨淄縣。
(5)三百閭—閭爲古地方組織單位。周禮：「五家爲比，五比爲閭。」閭即侶，指二十五家相群侶。三百閭言家戶衆多。
(6)張袂成陰—張開袖子，就遮蔽天日，形成大片陰影。袂是袖子，陰同「蔭」。

(7)比肩繼踵—形容人群擁擠。比是並，踵是腳跟。
(8)何爲—爲同「謂」，說的意思。
(9)不肖—肖，似；不肖本指不似先人，後轉爲不賢之意。
(10)習辭—善於言談。習，嫻熟、精鍊；辭，辭令。
(11)何以—即「以何」，用什麼方法。以，用。
(12)爲其來—即「於其來」，當他來的時候。
(13)坐—犯罪受罰。
(14)避席—古人席地而坐，如表示尊重或鄭重起見，就離席而起，謂之避席。
(15)淮南—此處指江南。
(16)枳—植物名，似橘而小，高五、六尺，春開白花，秋天成果。枳實及枳殼均可做藥，然不適於做水果食用。
(17)得無—豈不是。
(18)熙—熙，嬉戲，開玩笑之意。
(19)病—辱。
(20)景公—名杵臼，莊公之異母弟，崔杼弒莊公，立爲君，是爲景公。好逐聲色狗馬，不恤民憂。晏子爲相，盡忠極諫，使生民免於塗炭。
(21)霽—下雨停止叫做霽，雪消雲散也叫做霽。
(22)狐白之裘—狐腋下之毛純白，連皮作成衣服，叫「狐白裘」，輕暖而昂貴。

(23)有間—一會兒。間音ㄐㄧㄢˋ。

(24)循國計數—巡行全國計算人數。循是巡，數是人數。

(25)士……兼歲—既事者，已有職業的；疾者，有病苦的。兼是加發的意思。兼月，加發一月之俸祿；兼歲，加發一年之俸祿。

(26)晏子……所善也—此句謂晏子能明白說出他的願望，景公能按照他認爲好的去做。

(27)殆—大概。

(28)是不與焉—是，此，指上山見虎、下澤見蛇之事。與，包含在內。

(29)用而不任—用，給予官職；任，信任。

(30)如—到，往。

〔討論〕

一、就本課晏子出使楚國的兩則，說明他如何是不辱君命，不損國威之良使。

二、就本課晏子規諫景公的兩則，說明其經國治民之道。

三、請自作一個例子，來說明晏子回答楚王的技巧。

二　燭之武退秦師　　左傳

【作者】

左傳相傳爲左丘明所作，本名左氏春秋，到了漢書藝文志，稱爲「左氏傳」，與「公羊傳」、「穀梁傳」並置於春秋經下，稱爲春秋三傳。

左丘明，是春秋時魯國的太史，生平事蹟不可考。

左傳，是配合春秋而作的史書，體例、筆法都相同。孔子作春秋，以魯國爲中心，編年記事，起自魯隱公元年（西元前七二二年），歷桓、莊、閔、僖、文、宣、成、襄、昭、定十公，至哀公十七年（西元前四八一年），共十二公，二百四十二年。左傳記事直至魯哀公二十七年（西元前四六八年），甚至提到三家分晉之事，有一些是有傳無經之文。

左傳兼歷史、思想、文學三特性，可由其中疏理古代歷史發展的軌跡，汲取古代儒家思想之要旨，挖取文學寶藏，所以歷來很受重視。最通行的注本爲晉杜預注與宋林堯叟左傳句解合刻本。

【題解】

本文選自左傳魯僖公三十年，敘述鄭國大夫燭之武被臨危授命，單人說服秦國退兵之事。這段史實在春秋經文原只記載「晉人、秦人圍鄭」一句話，左傳卻能全盤敘述事件的始末，發揮以義理及實際事實闡釋經旨的特色，呈現當時的國際局勢及政治社會的動態，而且文字簡要精銳，沒有蕪蔓膚泛的弊病。文中燭之武從地理位置、歷史事實等各種不同角度，說明秦滅鄭的利害得失，理由十分周密，使得秦穆公心悅誠服。不但是燭之武的說明透澈精詳，左傳的敘述更是委婉曉暢，洵為千古妙文，令人嘆服，我們可藉此了解左傳的價值與貢獻。

燭之武站在保衛祖國的正義立場上，不計較個人得失，勇於為國赴難，品格令人敬佩。他又機敏非凡，嫻於辭令，終能說服秦國單方面退兵，瓦解了秦晉聯盟，挽救了鄭國命運。他的雄辯說辭打開戰國游說的先河，更被視為戰國時代縱橫家的祖師。

前此二年，僖公二十八年夏，晉侯、齊師、宋師、秦師及楚人戰於城濮，楚師敗績，當時晉秦合志，晉文公一戰而伯。在燭之武退秦師後，晉國的子犯要伐秦不守信約，晉文公不從，他的一番說辭也表現了霸主的器度。而晉文公雖然暫時沒有與秦斷交，但兩國的矛盾卻從此產生，果然兩年後便發生了秦晉殽之戰，此後兩國勢如水火，楚國藉機坐大，同時鄭國就利用秦、晉、楚三國爭霸的態勢，採取外交上的兩面手法，在夾縫中求生存，不過也倍極疲勞，非燭之武始料所及。

【本文】

晉侯、秦伯圍鄭⑴，以其無禮於晉⑵，且貳於楚⑶也。晉軍函陵⑷，秦軍氾南⑸。

佚之狐⑹言於鄭伯曰：「國危矣！若使燭之武見秦君，師必退。」

公從之。辭曰：「臣之壯也，猶不如人；今老矣，無能為也已。」公曰：「吾不能早用子(7)，今急而求子，是寡人之過也。然鄭亡，子亦有不利焉！」許之。夜縋(8)而出。見秦伯曰：「秦、晉圍鄭，鄭既知亡矣。若亡鄭而有益於君，敢以煩執事。(9)。越國以鄙遠(10)，君知其難也。焉用亡鄭以陪鄰(11)？鄰之厚，君之薄也。若舍鄭以爲東道主(12)，行李(13)之往來，共其乏困(14)，君亦無所害。且君嘗爲晉君賜(15)矣，許君焦、瑕(16)，朝濟而夕設版(17)焉，君之所知也。夫晉，何厭(18)之有？既東封鄭(19)，又欲肆其西封(20)。若不闕(21)秦，將焉取之？闕秦以利晉，唯君圖之(22)！」

秦伯說(23)，與鄭人盟，使杞子、逢孫、楊孫戍之(24)，乃還。

子犯(25)請擊之，公曰：「不可。微夫人(26)之力不及此。因人之力而敝之(27)，不仁；失其所與(28)，不知；以亂易整(29)，不武。吾其還也。」亦去之。

【注釋】

(1)晉侯、秦伯圍鄭—晉文公、秦穆公連兵攻打鄭國。
(2)以其無禮於晉—公子重耳（即後來的晉文公）流亡時，路過鄭國，鄭文公未用禮儀接待他。事見左傳魯僖公二十七年記載。
(3)貳於楚—對晉有二心，而親近楚國。指城濮之戰前，鄭文公親自把軍隊交楚國指揮，與晉國作戰的事。

事見左傳魯僖公二十八年記載。
(4)函陵—鄭國地名，在今河南省新鄭縣北十三里。
(5)氾南—氾水南邊，在今河南省中牟縣南，河水早已乾涸。
(6)佚之狐—鄭國大夫。
(7)子—你。
(8)縋—音ㄓㄨㄟˋ，用繩子吊下城牆去。
(9)執事—辦事的人。實際上指秦君，表示不敢和秦君並列的謙辭。也有人說指秦大夫，意謂亡鄭於秦有益，則值得勞師動衆。
(10)鄙遠—以遠地做爲他的邊邑。鄙，邊邑；這裡當動詞，設置邊邑之意。秦若得鄭以爲鄙邑，必須越過晉國而有之；因秦在西，鄭在東，晉居其間。
(11)亡鄭以陪鄰—滅亡鄭國來增厚鄰國。陪，增厚。鄰，在此指晉國。
(12)若舍鄭以爲東道主—如不滅鄭國，留他做東道主。舍，放棄。東道主：東道的主人。秦若有事於諸侯，必須向東行，多須經過鄭國國境，鄭可任招待之責。
(13)行李—行人之官，即使臣，古代專任外交的官員。
(14)共其乏困—供給他缺乏的東西。共，音ㄍㄨㄥ，同「供」，供應。
(15)嘗爲晉君賜—曾經把好處賜給晉國國君。左傳記載魯僖公十三年時，晉國饑荒，秦國把粟米運送到晉國，十四年時，秦國發生饑荒，晉國卻拒絕他買糧，於是十五年九月，秦穆公伐晉，交戰結果，俘虜了晉惠公夷吾，但後來仍給予禮遇，放他回國。

⒃許君焦瑕—晉惠公曾答應割讓焦、瑕二邑給秦，做爲幫助他返國爲君的報酬。焦、瑕，晉國城邑，在今河南省陝縣附近。

⒄朝濟而夕設版—早上渡過黃河，晚上就立即設版築城，與秦爲敵。說明背約之速。版，打土牆用的夾板。

⒅厭—饜，滿足。

⒆東封鄭—東取鄭地，作爲自己的邊疆。封，動詞，作爲邊疆。

⒇肆其西封—擴展他西部的邊疆。肆，伸張、擴展。

(21)闕—音ㄑㄩㄝ，損害、削小。

(22)唯君圖之—唯，表示希望的語氣詞。圖，考慮、盤算。

(23)說—通悅。

(24)使杞子逢孫楊孫戍之—杞子、逢孫、楊孫，三人皆秦國大夫。戍之，駐守於鄭，即帶兵保衛鄭國之意。

(25)子犯—即狐偃，字子犯，晉國大夫，文公之舅。

(26)微夫人—微，無。夫，語辭。夫人，猶言此人，指秦穆公。

(27)因人之力而敝之—依靠人家的力量爲君，又反過來傷害人家。左傳記載魯僖公二十四年時，秦穆公幫助流亡在外的公子重耳回到晉國即位，爲晉文公。

(28)所與—同盟國。

(29)以亂易整—以分裂代替聯合。

【討論】

一、燭之武如何打動秦穆公的心思，與鄭國定盟？
二、晉文公爲何未聽從子犯追擊秦兵的建議？
三、燭之武在外交上的收穫，對鄭國未來的前途有何正負面的影響？
四、在你看來，燭之武的說辭是否眞的無懈可擊？請加以推敲。

三　荊軻傳

司馬遷

【作者】

司馬遷，字子長，西漢左馮翊夏陽（今陝西韓城）人。

漢景帝中元五年（西元前一四五年）生於龍門。

武帝建元五年（西元前一三六年），十歲，隨父親司馬談到長安，從孔安國學古文，熟讀左傳、國語等史書。後又學春秋於董仲舒。

武帝元朔五年（西元前一二四年），二十二歲，回京師，補博士弟子員。

武帝元朔六年（西元前一二三年），二十三歲，任郎中。

武帝元鼎五年（西元前一一二年），三十四歲，隨武帝到隴西，登崆峒山。

武帝元鼎六年（西元前一一一年），三十五歲，隨將軍李息征四川以南，到過昆明一帶。

武帝元封元年（西元前一一〇年），三十六歲，省父於河、洛之間，受勉開始著史。

武帝元封三年（西元前一〇八年），三十八歲，繼父任太史令。

武帝太初元年（西元前一〇四年），四十二歲，與公孫卿、壺遂修訂曆法，改用夏曆，稱「太初曆」，即今「陰曆」。

武帝天漢二年（西元前九九年），四十七歲，爲李陵投降匈奴事辯解，下獄論罪。隔一年（西元前九八年），遭腐刑，忍辱寫史，無意於政治。

武帝征和二年（西元前九一年），五十五歲，史記一書大體完成。

昭帝始元元年（西元前八六年）左右卒，享年六十左右。

史記是我國「紀傳體」歷史的第一部，係以「人」爲中心，記載黃帝到漢武帝時候的歷史，所以也是「通史」之祖。史記網羅天下軼聞，據左氏、國語、世本、戰國策、楚漢春秋等書，寫成十二本紀、十表、八書、三十世家、七十列傳，共一百三十篇。「本紀」記載帝王，「表」以年代爲中心，記載各種大事，「書」記載典章制度，「世家」記載王侯將相及特殊重要人物，「列傳」記載普通名人。

「史記」的價值，主要在於司馬遷在文中所表現的悲憤「意識」。例如：孔子並非諸侯，卻列入「世家」，因爲夫子可謂「至聖」，不但是教化之主，且世代都有賢哲出。項羽非帝王，而於秦漢之際，號令天下，實爲政權所在，故列入「本紀」。伯夷、叔齊居「列傳」之首，乃崇敬特立獨行之士；刺客、游俠有傳，是感嘆「知己」的難得，藉之發洩其憤慨。他自比是孔子作春秋，以修史寄託政治理想和人物評論。司馬遷首創紀傳體爲主的史例，以後班固作漢書，范曄作後漢書，陳壽作三國志，一直到清人修明史，民國修清史稿，都是模倣這種編法。

【題解】

史記卷八十六刺客列傳，敘述春秋、戰國時代，曹沫、專諸、豫讓、聶政、荊軻五人的事蹟。所謂「士爲知己者死，女爲悅己者容」，刺客出身低賤，既不求名，亦不重利，然而一旦遇見知己，即不惜犧牲性命以相報，令人感嘆，亦發人深思。

這裡選錄荊軻一段，敘述他爲燕太子丹謀刺秦王的經過，另外兼述田光、樊將軍、高漸離等人慷慨赴義，照耀千古的感人史實。作者透過本篇，表明友誼難得，藉著刺客之寂寞，來排遣自己的寂寞，同時也諷刺士大夫中，有血性有感情的人太少，反不如市井之人。

荊軻刺秦王在始皇二十年（西元前二二七年）。爲閱讀方便，附戰國時代各國位置簡圖如后：

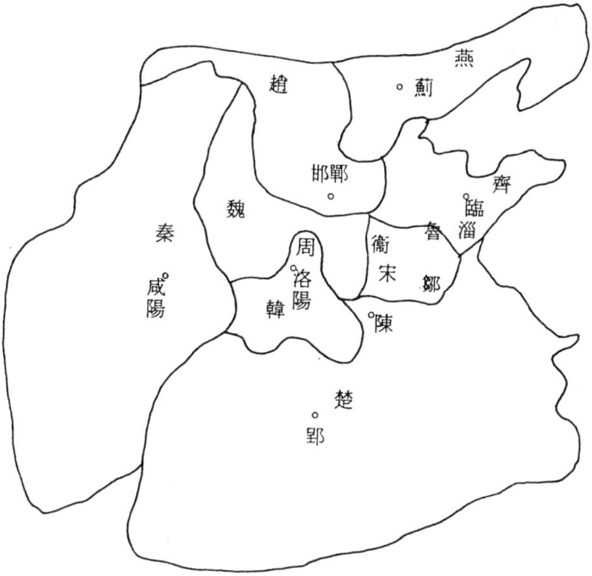

【本文】

荊軻者，衛人也。其先乃齊人。徙於衛，衛人謂之慶卿(1)；而之燕，燕人謂之荊卿(2)。

荊卿好讀書、擊劍，以術說衛元君(3)，衛元君不用。其後秦伐魏，置東郡，徙衛元君之支屬於野王(4)。

荊軻嘗游，過榆次(5)，與蓋聶論劍，蓋聶怒而目之。荊軻出，人或言復召荊卿，蓋聶曰：「曩者(6)吾與論劍有不稱者(7)，吾目之。試往，是宜去(8)，不敢留。」使使(9)往之主人(10)，荊卿則已駕而去榆次矣。使者還報，蓋聶曰：「固去也，吾曩者目攝(11)之！」

荊軻游於邯鄲(12)，魯句踐與荊軻博(13)，爭道(14)，魯句踐怒而叱之，荊軻嘿(15)而逃去，遂不復會。

荊軻既至燕，愛燕之狗屠及善擊筑(16)者高漸離。荊軻嗜酒，日與狗屠及高漸離飲於燕市，酒酣以往(17)，高漸離擊筑，荊軻和而歌於市中，相樂也；已而相泣，旁若無人者。荊軻雖游於酒人乎(18)，然其爲人，沈深好書；其所游諸侯，盡與其賢豪長者相結。其之燕，燕之處士(19)田光先生亦善待之，知其非庸人也。

居頃之，會燕太子丹質秦亡歸燕。燕太子丹者，故嘗質於趙；而秦王政生於趙(20)，其少時與丹驩(21)。及政立爲秦王，而丹質於秦；秦王之遇燕太子丹不善，故丹怨而亡歸。歸而求爲報秦王者，國小，力不能。其後秦日出兵山東(22)以伐齊、楚、三晉(23)，稍蠶食諸侯，且至於燕。燕君臣皆恐禍之至。太子丹患之，問其傅鞠武。武對曰：「秦地遍天下，威脅韓、魏、趙氏，北有甘泉、谷口之固，南有涇、渭之沃，擅巴、漢之饒，右隴、蜀之山，左關、殽之險(24)，民衆而士厲，兵革有餘；意有所出，則長城之南、易水之北(25)，未有所定也。奈何以見陵(26)之怨，欲批其逆鱗(27)哉？」丹曰：「然則何由？」對曰：「請入圖(28)之。」

居有閒，秦將樊於期得罪於秦王，亡之燕，太子受而舍之。鞠武諫曰；「不可。夫以秦王之暴，而積怒於燕，足爲寒心(29)，又況聞樊將軍之所在乎？是謂委肉當餓虎之蹊(30)也，禍必不振(31)矣！雖有管、晏(32)，不能爲之謀也。願太子疾(33)遣樊將軍入匈奴以滅口(34)。請西約三晉，南連齊、楚，北購(35)於單于，其後迺(36)可圖也。」太子曰：「太傅之計，曠日彌久(37)，心惛然(38)，恐不能須臾。且非獨於此也，夫樊將軍窮困於天下，歸身於丹；丹終不以迫於彊秦，而棄所哀憐之交，置之匈奴。是固丹命卒之時也，願太傅更慮之。」鞠武曰：「夫行危欲求安，造禍而求福，計淺而怨深，連結一人之後交(39)，不顧國家之大害，此謂資怨而助禍矣。夫以鴻毛燎於爐炭之上，必無事(40)矣。且以鵰鷙之秦，行怨暴之怒，豈足道哉！燕有田光先生，其爲人智深而勇沈，可與謀。」太子曰：「願因太傅而得交於田先生，可乎？」鞠武曰：「敬諾。」

出見田先生，道太子願圖國事於先生也。田光曰：「敬奉教。」乃造(41)焉。太子逢迎，卻行爲導(42)，跪而蔽席(43)。田光坐定，左右無人，太子避席(44)而請曰：「燕、秦不兩立，願先生留意也。」田光曰：「臣聞騏驥盛壯之時，一日而馳千里；至其衰老，駑馬先之。今太子聞光盛壯之時，不知臣精已消亡矣。雖然，光不敢以圖國事，所善荊卿可使也」太子曰：「願因先生得結交於荊卿，可乎？」田光曰：「敬諾。」即起，趨(45)出。太子送至門，戒曰：「丹所報，先生所言者，國之大事也。願先生勿泄也！」田光俛(46)而笑曰：「諾。」

僂行(47)見荊卿，曰：「光與子相善，燕莫不知。今太子聞光壯盛之時，不知吾形已不逮也，幸而教之曰：『燕、秦不兩立，願先生留意也。』光竊不自外(48)，言足下於太子也，願足下過(49)太子於宮。」荊軻曰：「謹奉教。」田光曰：「吾聞之：長者爲行，不使人疑之。今太子告光曰：『所言者，國之大事也。願先生勿泄！』是太子疑光也。夫爲行而使人疑之，非節俠也。」欲自殺以激荊卿，曰：「願足下急過太子，言光已死，明不言也。」因遂自刎而死。

荊軻遂見太子，言田光已死，致(50)光之言。太子再拜而跪，膝行，流涕，有頃而後言曰：「丹所以誠田先生毋言者，欲以成大事之謀也。今田先生以死明不言，豈丹之心哉！」荊軻坐定，太子避席頓首曰：「田先生不知丹之不肖，使得至前，敢有所道，此天之所以哀燕而不棄其孤(51)也。今秦有貪利之心，而欲不可足也；非盡天下之地，臣海內之王者，其意不厭(52)。今秦已虜韓王，盡納其地；又舉兵南伐楚，北臨趙；王翦將數十萬之衆距漳、鄴(53)，而李信出太原、雲中(54)。趙不能支秦，必入臣；入臣則禍至燕。燕小弱，數困於兵，今計舉國不足以當(55)秦。諸侯服秦，莫敢合從(56)；丹之私計，愚以爲誠得天下之勇士，使於秦，闚以重利(57)，秦王貪，其勢必得所願矣。誠得劫秦王，使悉反諸侯侵地，若曹沫之與齊桓公(58)，則大善矣；則(59)不可，因而刺殺之。彼秦大將擅兵於外，而內有亂，則君臣相疑；以其閒(60)，諸侯得合從，其破秦必矣。此丹之上願，而不知所委命，惟荊卿留意焉。」久之，荊軻曰：「此國之大事也，臣駑下，恐不足任使。」太子前頓首，固請毋讓，然後許諾。於是尊荊卿爲上卿，舍上舍，太子日造門下，供太牢(61)，具異物，閒進車騎美女，恣(62)荊軻所欲，以順適其意。

久之，荊軻未有行意。秦將王翦破趙，虜趙王，盡收入其地；進兵北略地，至燕南界。太子丹恐懼，乃請荊軻曰：「秦兵旦暮渡易水，則雖欲長侍足下，豈可得哉！」荊軻曰：「微(63)太子言，臣願謁(64)之。今行而毋信(65)，則秦未可親也。夫樊將軍，秦王購之金千斤，邑萬家。誠得樊將軍首，與燕督亢之地圖，奉獻秦王，秦王必說(66)見臣，臣乃得有以報。」太子曰：「樊將軍窮困來歸丹，丹不忍以己之私而傷長者之意，願足下更慮之！」荊軻知太子不忍，乃遂私見樊於期曰：「秦之遇將軍可謂深矣，父母宗族皆爲戮沒(67)。今聞購將軍首金千斤，邑萬家，將奈何？」於其仰天太息流涕曰：「於期每念之，常痛於骨髓，顧計不知所出耳！」荊軻曰：「今有一言可以解燕國之患，報將軍之仇者，何如？」於期乃前曰：「爲之奈何？」荊軻曰：「願得將軍之首以獻秦王，秦王必喜而見臣，臣左手把其袖，右手揕(68)其胸；然則將軍之仇報，而燕見陵之愧除矣。將軍豈有意乎？」樊於期偏袒搤捥(69)而進曰：「此臣之日夜切齒腐心(70)也，乃今得聞教！」遂自剄。太子聞之，馳往伏屍而哭，極哀。既已不可奈何，乃遂盛樊於期首，函(71)封之。

於是太子豫(72)求天下之利匕首，得趙人徐夫人(73)匕首，取之百金，使工以藥焠(74)之，以試人，血濡縷⑺，人無不立死者。乃裝爲遣荊卿。燕國有勇士秦舞陽，年十三殺人，人不敢忤視。乃令秦舞陽爲副。荊軻有所待，欲與俱；其人居遠未來，而爲治行⑽，頃之未發。太子遲之，疑其改悔，乃復請曰：「日已盡矣，荊軻豈有意哉？丹請得先遣秦舞陽。」荊軻怒，叱太子曰：「何太子之遣往而不反者豎子⑺也。且提一匕首，入不測之強秦，僕所以留者，待吾客與俱。今太子遲之，請辭決⑽矣！」遂發。太子及賓客知其事者，皆白衣冠以送之。至易水之上，既祖⑽，取道⑽。高漸離擊筑，荊軻和而歌，爲變徵之聲，士皆垂淚涕泣。又前而歌，曰：「風蕭蕭兮易水寒，壯士一去兮不復還！」復爲羽聲⑽忼慨。士皆瞋目⑽髮盡上指冠。於是荊軻就車而去，終已不顧。

遂至秦，持千金之資幣物，厚遺秦王寵臣中庶子⑽蒙嘉。嘉爲先言於秦王曰：「燕王誠振怖大王之威，不敢舉兵以逆軍吏⑽，願舉國爲內臣，比諸侯之列，給貢職⑽如郡縣，而得奉守先王之宗廟。恐懼不敢自陳，謹斬樊於期之頭，及獻燕督亢之地圖，函封，燕王拜送于庭，使使以聞大王。唯大王命之。」秦王聞之，大喜，乃朝服，設九賓⑽，見燕使者咸陽宮。荊軻奉樊於期頭函，而秦舞陽奉地圖匣，以次進。至陛(88)，秦舞陽色變振恐，群臣怪之。荊軻顧笑舞陽，前謝曰：「北蕃蠻夷之鄙人，未嘗見天子，故振慴(89)。願大王少假借之(90)，使得畢使(91)於前。」秦王謂軻曰：「取舞陽所持地圖。」軻既取圖奏之，秦王發圖，圖窮而匕首見，因左手把秦王之袖，而右手持匕首揕之。未至身，秦王驚，自引而起(92)，袖絕；拔劍，劍長，操其室(93)，時惶急，劍堅，故不可立拔。荊軻逐秦王，秦王環柱而走。群臣皆愕，卒(94)起不意，盡失其度。而秦法：群臣侍殿上者，不得持尺寸之兵；諸郎中執兵皆陳殿下，非有詔召，不得上。方急時，不及召下兵，以故荊軻乃逐秦王，而卒惶急，無以擊軻，而以手共搏之。是時，侍醫夏無且以其所奉藥囊提(95)荊軻也。秦王方環柱走，卒惶急，不知所爲。左右乃曰：「王負劍(96)！」負劍，遂拔，以擊荊軻，斷其左股。荊軻廢，乃引其匕首以擿(97)秦王，不中，中銅柱。秦王復擊軻，軻被八創。軻自知事不就，倚柱而笑，箕倨(98)以罵曰：「事所以不成者，以欲生劫之，必得約契以報太子也。」於是左右既前殺軻，秦王不怡者良久。已而論功賞群臣及當坐(99)者各有差，而賜夏無且黃金二百鎰，曰：「無且愛我，乃以藥囊提荊軻也。」

於是秦王大怒，益發兵詣趙，詔王翦軍以伐燕，十月而拔薊城。燕王喜、太子丹等盡率其精兵東保於遼東。秦將李信追擊燕王急，代王嘉(100)乃遺燕王喜書曰：「秦所以尤追燕急者，以太子丹故也。今王誠殺丹獻之秦王，秦王必解，而社稷幸得血食(101)。」其後李信追丹，丹匿衍水(102)中。燕王乃使使斬太子丹，欲獻之秦。秦復進兵攻之，後五年，秦卒滅燕，虜燕王喜。其明年，秦并天下(103)，立號爲皇帝。於是秦逐太子丹、荊軻之客，皆亡。高漸離變名姓，爲人庸保，匿作於宋子(104)。久之，作苦，聞其家堂上客擊筑，傍偟不能去。每出言曰：「彼有善有不善。」從者以告其主，曰：「彼庸乃知音，竊言是非。」家大人(105)召使前擊筑，一坐稱善，賜酒。而高漸離念久隱畏約(106)無窮時，乃退，出其裝匣中筑與其善衣，更容貌而前，舉坐客皆驚，下與抗禮(107)，以爲上客。使擊筑而歌，客無不流涕而去者。宋子傳客之(108)。聞於秦始皇，秦始皇召見。人有識者，乃曰：「高漸離也。」秦始皇惜其善擊筑，重赦之(109)乃矐(110)其目。使擊筑，未嘗不稱善，稍益近之。高漸離乃以鉛置筑中，復進得近，舉筑扑秦皇帝，不中。於是遂誅高漸離，終身不復近諸侯之人。魯句踐已聞荊軻之刺秦王，私曰：「嗟乎！惜哉！其不講於刺劍之術也！甚矣吾不知人也！曩者吾叱之，彼乃以我爲非人⑾也。」

【注釋】

(1)慶卿—齊有慶氏，荊軻或許本姓「慶」。卿爲對人的尊稱。
(2)荊卿—荊與慶音近，古人對姓，常取其音而忘其本字，所以「慶」到燕國變成「荊」。
(3)衛元君—衛國第十一代主，國勢衰弱，娶魏王女爲妻淪爲魏之附庸。
(4)野王—春秋時晉邑，三家分晉後屬魏，在今河南省沁陽縣。秦伐魏在西元前二四二年。
(5)楡次—戰國趙邑，今山西省楡次縣。
(6)曩者—先前。曩音ㄋㄤˇ。
(7)不稱者—不如我意的。稱音ㄔㄣˋ。
(8)是宜去—是，此；去，離開。言此時荊軻應已離去。
(9)使使—第一個「使」音ㄕˇ，遣派；第二個使音ㄕˋ，使者。
(10)主人—荊軻所住旅舍的主人，代表荊軻住處。
(11)攝—音ㄓㄜˊ，通懾字，畏懼。

⑿邯鄲—趙都，今河北省邯鄲縣西南十里，俗呼趙王城。
⒀博—棋戲的一種。
⒁爭道—爭取贏路。
⒂嘿—同「默」。
⒃筑—音ㄓㄨˊ，古樂器名。
⒄以往—以後。
⒅酒人乎—酒人猶言酒徒。乎，語助詞。
⒆處士—賢能而隱居不做官的人。
⒇生於趙—秦昭王孫子楚質於趙，與呂不韋姬生下政。子楚回國稱位爲莊襄王，四年後卒，政繼爲秦王。
(21)驩—音ㄏㄨㄢ，同「歡」。
(22)山東—秦在華山以西，故稱華山以東之地爲山東。
(23)三晉—戰國時，魏、韓、趙三家分晉，各立爲國，是爲三晉。
(24)北有甘泉……關殽之險—左右，面向南方爲標準，左邊是東邊，右邊是西邊。參考下圖：

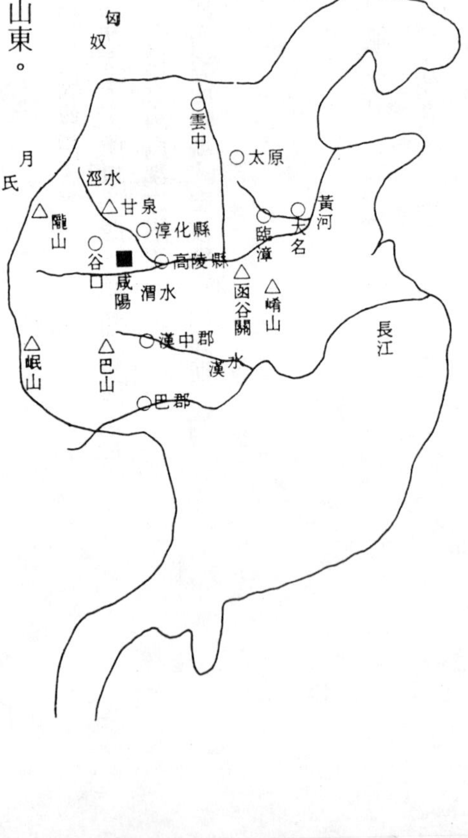

(25)長城之南、易水之北—指燕國。燕北境有防胡的長城，南部有易水，出河北省的易縣。
(26)見陵—被辱也。
(27)批其逆鱗—批，觸擊也。逆鱗，韓非子說難篇：「龍喉下有逆鱗徑尺，人有嬰之，必殺人。」嬰即攖，觸摸。此比喻觸秦之怒。
(28)入圖—入朝與燕王及諸大臣共謀良策。
(29)寒心—恐懼。
(30)委肉當餓虎之蹊—委，放。蹊，路。把肉丟在餓虎出入的道上。
(31)振—救。
(32)管、晏—管仲名夷吾，齊桓公時宰相。晏嬰，字仲，謚平，史稱晏平仲，齊靈公、莊公、景公時宰相。
二人皆賢於輔國，故常並稱。
(33)疾—速。
(34)滅口—消除藉口。
(35)購—通媾，聯合。
(36)迺—同「乃」。
(37)曠日彌久—曠廢時日，需很久才能奏效。彌，長久。
(38)惛然—惛，音ㄏㄨㄣ，同「昏」，心亂。
(39)後交—新交。後有晚之意。
(40)無事—沒有困難。
(41)造—拜訪。
(42)卻行為導—面向客人，後退而行，迎接客人。
(43)襒席—襒，音ㄅㄧㄝˊ，擦拭。

(44)避席—離坐起立。
(45)趨—小步急行。
(46)俛—同「俯」。
(47)僂行—僂，音ㄌㄡˊ，曲。彎腰曲背而行。
(48)不自外—不自以爲是外人。
(49)過—拜訪。
(50)致—傳達。
(51)孤—孤單無助之後代。
(52)厭—通「饜」，滿足。
(53)距漳、鄴—距，至。漳，漳水，源出山西省，流至河北省入衛河。鄴，在河南省臨漳縣西南。
(54)太原、雲中—太原在山西省太原縣北；雲中在山西省大同縣西北。
(55)當—當，通「擋」，抵抗。
(56)合從—「從」同「縱」，南北曰從。蘇秦倡合從，聯合南北六國共同抗秦。
(57)闚以重利—示以重利。闚，同窺，視。
(58)曹沫之與齊桓公—曹沫，魯將。魯與齊三戰皆敗，割地給齊以和。後來齊桓公與魯莊公會於柯，曹沫執匕首劫持桓公，逼桓公歸還魯國所割之地。
(59)則—假使。
(60)閒—閒，同「間」，音ㄐㄧㄢˋ，本指縫隙，此謂不和。

(61)太牢—具牛羊豬三牲叫太牢。古時祭天地用太牢，表示尊崇。有羊豬而無牛叫少牢。
(62)恣—任由。
(63)微—無。
(64)謁—覲見。
(65)信—取信於人之事物。
(66)說—同「悅」。
(67)沒—沒收家產。
(68)揕—音ㄓㄣˋ，刺擊。
(69)偏袒搤捥—偏袒，露一臂。搤，音ㄜˋ，握。捥，古「腕」字。搤捥，表示憤怒。
(70)切齒腐心—非常憤恨。
(71)函—盒子。
(72)豫—預。
(73)徐夫人—姓徐，名夫人，爲趙國男子。
(74)焠—音ㄘㄨㄟˋ，浸泡。
(75)血濡縷—流出的血才沾上絲線。濡，音ㄖㄨˊ，沾染。
(76)忤—忤，音ㄨˇ，逆。
(77)治行—整理行裝。
(78)豎子—猶言「小子」，指秦舞陽。

(79)辭決—辭別。決通訣。
(80)祖—古有遠行，必先祭道路之神，叫「祖道」，遠行者取祭酒而飲。今稱「餞行」。
(81)取道—上路。
(82)變徵之聲—徵，音ㄓˇ。我國古樂原有宮商角徵羽五聲，後增爲宮、商、角、變徵、徵、羽、變宮七聲，相當於西樂Do. Re……Si。變徵之聲低沉悽涼，羽聲高亢悲壯。
(83)瞋目—張大眼睛，表示憤怒。瞋，ㄔㄣ。
(84)中庶子—官名。秦漢時設置，掌諸侯卿大夫之嫡子及支庶版籍教育等事。
(85)逆軍吏—抵抗軍隊。逆，迎。
(86)給貢職—納貢獻。職亦貢。
(87)設九賓—九賓本周天子接見外交使節之禮，命各國賓客，百官衆僚與會觀禮，以示隆重。
(88)陛—殿階。
(89)振慴—震懼。慴，音ㄓㄜˊ。
(90)少假借之—稍寬恕他。
(91)畢使—完成使命。
(92)自引而起—自己抽身站起來。
(93)操其室—操，握。室，劍鞘。
(94)卒—通「猝」，突然間。
(95)提—音ㄉㄧˇ，投擲。

(96)負劍—背著劍。
(97)擿—音ㄓˊ，投擲。
(98)箕踞—屈膝而坐。
(99)坐—判罪。
(100)代王嘉—始皇十九年取趙地，虜趙王遷。趙公子嘉率數百人至代（山西省東北部），自立爲代王，屯兵上谷（察哈爾懷來縣），東與燕兵合。
(101)得血食—享受牲牢之享祭。
(102)衍水—今名太子河，在遼寧省遼陽縣北。
(103)并天下—在始皇二十六年，西元前二二一年。
(104)宋子—縣名，在今河北省。
(105)家大人—家之主人。
(106)畏約—畏縮窮困也。約，窮困。
(107)抗禮—行平等之禮。抗，有「對等」「平等」之意。
(108)傳客之—輪流請他作客。
(109)重赦之—難以赦免他。重，不敢輕易行事。
(110)矐—音ㄏㄨㄛˋ，使失明。
(111)非人—非其志同道合的人。

【結構】

請同學整理出全篇綱目。

【討論】

一、荊軻刺秦王一事，有人以為不足稱道，有人特別推崇，同學之意如何？

二、太子丹與太傅鞠武對抵抗秦國的看法有何不同？

三、舉例說明荊軻、太子丹之個性及為人。

【附錄】

詠荊軻　陶潛

燕丹善養士，志在報強嬴。招集百夫良，歲暮得荊卿。君子死知己，提劍出燕京。素驥鳴廣陌，慷慨送我行。雄髮指危冠，猛氣衝長纓。飲餞易水上，四座列群英。漸離擊悲筑，宋意唱高聲。蕭蕭悲風逝，淡淡寒波生。商音更流涕，羽奏壯士驚。公知去不歸，且有後世名。登車何時顧，飛蓋入秦庭。凌厲越萬里，逶迤過千城。圖窮事自至，豪主正怔營。惜哉劍術疏，奇功遂不成！其人雖已沒，千載有餘情。

四　陳情表

李　密

【作者】

李密，字令伯，生於魏文帝黃初四年（西元二二三年），約死於晉武帝末年（西元二八九年），三國蜀漢犍為郡武陽縣（四川彭山縣）人。

父早死，母何氏再嫁，由祖母劉氏撫養長大。事奉祖母至孝，有美名。年輕時好學不倦，從太史譙周求學。蜀漢後主時任尚書郎，有才辯，數次出使吳國，曾與吳主論道義，吳國人頗稱讚他。晉武帝徵為太子洗馬，密以祖母生病為由，辭不任官；後祖母死，服喪完畢，被徵為太子洗馬，不久又被派任尚書郎，後來出任河內溫縣（河南溫縣）令，又升為漢中太守。他自負才高，自認應當在朝為官，不滿被屈於邊郡，頗有煩言，激怒晉武帝，遂被免官，死於家。

【題解】

李密，蜀漢人。蜀為魏所滅（西元二六三年），又歸晉朝（西元二六五年），晉武帝聽說他學問品德很好，要徵召他到京城作官，李密因祖母劉氏老病，日益嚴重，不願離家遠去，以盡反哺之恩，因此，寫了這篇奏表，呈給武帝，說明環境之不許可。武帝看過後，允許他延期就職，並賜給他僕婢、糧食、以安心奉養祖母。陳是陳述，表是古代公文的一種，臣下上言皇帝時所使用。

魏晉以後，天下漸亂，知識份子，動輒得咎，仕亦不是，隱亦不是。李密既爲晉武帝所注意，自然逃避不得，然而爲了奉養祖母，屢次違逆皇帝，實在是冒了極大的險，也可見他的孝心是如何至誠。在陳情表中，李密說自己不矜名節，而把自己國家—蜀漢稱爲僞朝，或許也有他不得已的苦衷。

【本文】

臣密言：臣以(1)險釁(2)，夙(3)遭閔凶(4)。生孩六月，慈父見背(5)；行年四歲，舅奪母志(6)。祖母劉，愍(7)臣孤弱，躬親撫養。臣少多疾病，九歲不行(8)；零丁(9)孤苦，至於成立。既無叔伯，終鮮(10)兄弟；門衰祚薄(11)，晚有兒息(12)。外無期功強近之親(13)，內無應門五尺之童(14)。煢煢孑立(15)，形影相弔(16)。而劉夙嬰(17)疾病，常在床蓐(18)。臣侍湯藥，未嘗廢離(19)。

逮奉聖朝(20)，沐浴清化(21)。前太守臣逵(22)，察臣孝廉(23)；後刺史(24)臣榮，舉臣秀才(25)。臣以供養無主(26)，辭不赴命(27)。詔書(28)特下，拜臣郎中(29)；尋(30)蒙國恩，除臣洗馬(31)。猥(32)以微賤，當侍東宮(33)。非臣隕首(34)所能上報。臣具(35)以表聞(36)，辭不就職。詔書切峻(37)，責臣逋慢(38)；郡縣逼迫，催臣上道；州司臨門，急於星火(39)。臣欲奉詔奔馳，則以劉病日篤(40)；欲苟順私情，則告訴不許。臣之進退，實爲狼狽(41)！

伏惟(42)聖朝以孝治天下，凡在故老(43)，猶蒙矜育(44)；況臣孤苦，特爲尤甚。且臣少事僞朝(45)，歷職郎署(46)。本圖宦達(47)，不矜名節(48)。今臣亡國賤俘(49)，至微至陋。過蒙拔擢(50)，寵命優渥(51)。豈敢盤桓(52)，有所希冀(53)？但以劉日薄西山(54)，氣息奄奄(55)；人命危淺，朝不慮夕(56)。臣無祖母，無以至今日；祖母無臣，無以終餘年。祖孫二人，更相爲命。是以區區(57)不能廢遠(58)。

臣密今年四十有(59)四，祖母劉今年九十有六。是臣盡節於陛下(60)之日長，報劉之日短也。烏鳥私情(61)，願乞終養。臣之辛苦，非獨蜀之人士，及二州牧伯(62)，所見明知；皇天后土(63)，實所共鑒。願陛下矜愍(64)愚誠，聽臣微志。庶(65)劉僥倖，卒保餘年。臣生當隕首，死當結草(66)。臣不勝犬馬(67)怖懼(68)之情，謹拜表以聞。

【注釋】

(1)以－因爲。

(2)險釁－惡劣的遭遇。釁，音ㄒㄧㄣˋ，遭遇。

(3)夙—音ㄙㄨˋ，早，幼小時。
(4)閔凶—閔，音ㄇㄧㄣˇ，憂。閔凶，即憂患喪事。
(5)見背—此處指親死。背，離棄。見，介詞，給我。見背，給我離棄即離棄了我。
(6)舅奪母志—舅父奪去母親守節的志願，逼迫改嫁。
(7)愍—憐惜。音ㄇㄧㄣˇ。
(8)不行—路走不好。
(9)零丁—又寫作伶仃，孤單危弱。
(10)終鮮—終，畢竟。鮮，少。
(11)門衰祚薄—家族衰微，福祚不厚。祚，福。
(12)兒息—子女。息，本是生的意思。此指兒女。
(13)期功強近之親—日後能爲自己穿期服功服的親族。期，音ㄐㄧ。期功，期服與功服。古時喪制，以斬衰（ㄘㄨㄟ）、齊（ㄗ）衰、大功、小功、緦麻爲五服，按親屬遠近，分別服喪。斬衰，以生粗麻布爲之，不縫邊，是喪服中最重的，爲期三年。齊衰，縫得較整齊的喪服，爲期一年，即所謂期服。大功，較齊衰爲輕，爲期九月。小功，爲期五月。緦麻，喪服中最輕的，爲期三月。
(14)應門五尺之童—幫忙守候門戶，處理家務的僮僕。童，即「僮」。
(15)煢煢孑立—孤單一個人。煢，音ㄑㄩㄥˊ，孤獨。孑，音ㄐㄧㄝˊ，孤獨。
(16)形影相弔—只有身軀與身影相互安慰，比喻孤獨。弔，安慰。
(17)夙嬰—很早就罹患。

⒅蓐——蓆子，與今褥通。
⒆廢離——抛棄。廢，停止。
⒇逮奉聖朝——逮，及，到。聖朝，指晉朝。聖，尊稱。
㉑沐浴清化——接受清明的教化。
㉒太守臣逵——太守，一郡之長。逵，音ㄎㄨㄟˊ，姓不詳。
㉓孝廉——選拔孝順廉潔的人，名爲「孝廉」。
㉔刺史——一州之長。
㉕秀才——拔薦秀異的人才，名爲「秀才」。
㉖供養無主——家中無人奉養祖母。
㉗赴命——接受任命。
㉘詔書——皇帝的令書。
㉙拜臣郎中——封臣爲郎中的官職。拜，封官職。郎中，周代近侍通稱郎中，秦始置爲官名，與侍郎同隸郎中令；漢代並稱尚書郎，隋唐以後六部皆置郎中，遂爲專司之長，清末始廢。
㉚尋——不久。
㉛除臣洗馬——除，任命。洗馬，輔佐太子的官。洗，音ㄒㄧㄢˇ。
㉜猥——辱、竊，自謙之詞。
㉝東宮——太子居東宮，所以東宮代表太子。
㉞隕首——捨命。隕，音ㄩㄣˇ，掉落。

(35)具—詳盡。
(36)以表聞—以奏表向皇上說明。
(37)切峻—急切嚴厲。
(38)逋慢—有意逃避，怠慢不勤。逋，音ㄅㄨ，規避。慢，怠慢。
(39)急於星火—比喻急迫，如流星奔馳，如救火災。
(40)篤—嚴重。
(41)狼狽—進退兩難。狽的前足短，行走時常將前足駕於狼後腿股上，狽失去狼不能奔跑，後來就用狼狽表示進退兩難，或相互攀附。
(42)伏惟—低頭想，表示恭敬之辭。惟，思。
(43)故老—故舊老人。
(44)矜育—憐恤養育。
(45)僞朝—指蜀漢。
(46)歷職郎署—李密曾任蜀漢尚書郎。
(47)宦達—爲官顯達。宦，做官。
(48)不矜名節—不想以清名亮節來驕矜自負。矜，矜持，尊尚。
(49)亡國賤俘—蜀漢爲曹魏所滅，曹魏又爲晉所滅，故如此自稱。
(50)拔擢—提拔抬舉。擢，提升。
(51)寵命優渥—恩寵極爲優厚，渥，音ㄨㄛˋ，淳厚。

(52)盤桓—逗留不進，來往徘徊。
(53)希冀—希望，企圖。
(54)日薄西山—喻年老餘日不多。薄，逼近。
(55)奄奄—危弱將絕。
(56)朝不慮夕—早上不知道晚上會發生什麼事，比喻相當危急，隨時會有變化。慮，預料。
(57)區區—微細。自己謙稱爲小小私情。
(58)廢遠—停止奉養，遠離而去。
(59)有—又。
(60)陛下—古時臣民稱皇帝爲陛下。陛，階梯。
(61)烏鳥私情—子烏報親，反哺老烏。
(62)二州牧伯—指太守逵，刺史榮。牧與伯都是州郡之長。
(63)皇天后土—天地。皇、后皆尊稱。
(64)矜愍—憐憫。
(65)庶—希望，或許。
(66)結草—死後報恩。左傳宣公十五年：晉魏武子有妾，無子，武子疾，命子顆曰：必嫁是；疾亟，又曰：必以爲殉。武子死，顆竟嫁之。後顆與秦師戰於輔氏，見一老人結草以亢秦將杜回，因獲之而敗秦師。夜夢老人自稱爲妾之父，特助顆獲回，以報生全其女之恩。
(67)犬馬—自謙之詞。

(68)怖懼——懼怕。

【結構】

拒絕別人的信是不好寫的，請同學先整理出本課綱目，而後由老師分析，了解李密如何能說動晉武帝。

【討論】

一、後人謂讀此文不哭者不孝，同學認爲如何？

二、李密爲什麼要把自己「不矜名節」的事提出來說？

五　春夜宴桃李園序

李　白

【作者】

李白，字太白，號青蓮，先世隴西成紀（今甘肅天水附近）人，家居四川綿州（今四川綿陽縣）。唐武后大足元年（西元七〇一年），李白生。

玄宗開元八年（西元七二〇年），二十歲，益州長史蘇頲認爲白天資特妙，如稍爲努力，就可媲美司馬相如。

開元十四年（西元七二六年），二十六歲，離開四川，仗劍東遊。到過金陵、揚州、雲夢、安陸、山東、太原、浙江各處。

開元十六年（西元七二八年），二十八歲，在雲夢娶故相許圉師的孫女爲妻。此後十年左右，和孔巢父、韓準、裴政、張叔明、陶沔隱居在徂徠山竹溪，時號爲「竹溪六逸」。

玄宗天寶元年（西元七四二年），四十二歲，遊會稽山，和道士吳筠結交。剛好筠奉召赴京，就推薦白給玄宗，因此他也入長安。那時賀知章讀畢他的蜀道難，嘆爲「天上謫仙」。玄宗很賞識他的詩才，有詔供奉翰林。

天寶三年（西元七四四年），四十四歲，有一次玄宗和楊貴妃在沉香亭飲酒，正好牡丹盛開，就召李白，要他依清平調作歌詞，他毫不含糊地將當時情景一一融入詩句，但因詩中引用趙飛燕的故事，被他的仇家高力士發現，而進讒言觸怒了貴妃。使他的政治前途受阻，而離開長安，再度浪跡天涯。

天寶十五年（西元七五六年），五十六歲，安祿山攻陷長安。白正隱居廬山。當永王大軍東下，準備在江左自立時，白前往宣州謁見，就在永王幕下任事。

肅宗乾元元年（西元七五八年），五十八歲，永王事敗，白長期流放夜郎。次年，遇赦得釋，又回到潯陽。

肅宗寶應元年（西元七六二年），六十二歲，投靠他的族叔當塗縣令李陽冰。大約這年十一月，他因為飲酒過度，得病而死。

李白性情倜儻，極有才華，在詩歌方面，表現飄逸豪放的風格，有「詩仙」的雅號。著有李太白集。

【題解】

桃李園，為長安名園，李白和幾位從弟，春夜在此宴飲遊樂吟詩助興，於是作此序，說明宴樂的因由。「序」通常指書序，或自序，像這篇序文，有如今天的活動開幕詞，倒是少見。

【本文】

夫天地者，萬物之逆旅⑴。光陰者，百代之過客⑵。而浮生⑶若夢，為歡幾何？古人秉燭夜遊⑷，良有以⑸也。況陽春召我以烟景⑹，大塊假我以文章⑺。會⑻桃李之芳園，序天倫之樂事。群季俊秀(9)，皆爲惠連(10)。吾人詠歌，獨慚康樂(11)。幽賞未已，高談轉清(12)。開瓊筵以坐花(13)，飛羽觴而醉月(14)。不有佳作，何伸雅懷？如詩不成，罰依金谷酒數(15)。

【注釋】

(1)天地……逆旅—逆，迎接。逆旅，迎接旅客的地方，即旅館。此兩句謂萬物只是暫住天地之間而已，遲早要離去的。

(2)光陰……過客—光陰指人所感覺到的時間移易。此兩句謂人所佔有的時間，乃是百代中的一小段猶如過客，不能久留。

(3)浮生—人生在世，虛浮不定，故稱浮生。

(4)秉燭夜遊—秉，拿。連晚上都不肯停止，拿著燭火也要出遊，表示即時行樂。

(5)良有以—良，實在是。以，原因，理由。

(6)陽春……烟景—陽春，溫暖的春天。烟景，優美的景色。以，用，拿。召我以烟景，即「以烟景召我」。

(7)大塊……文章—大塊，天地。假，借，提供。文章，指花木的豔麗。大地呈現著豔麗的文采供我們欣賞。假我以文章，句法同前。

(8)會—會集。

(9)群季俊秀—群季，指李白的幾位從弟。俊秀，才氣出人。
(10)惠連—指謝惠連。惠連是謝靈運的從弟，有文才，爲其兄所稱賞，後世因此引用爲美弟之稱。
(11)獨慚康樂—謝靈運，是晉朝謝玄之孫，劉宋夏陽（河南太康）人，爲南北朝山水詩之代表作家。襲封康樂公，故又稱謝康樂。獨慚康樂，謂只有自己詩歌不佳，愧對康樂。
(12)幽賞……轉清—一邊不停的欣賞美景，一邊清閒脫俗地高談闊論。
(13)開瓊筵以坐花—瓊筵指美盛的筵席。坐花指圍坐在花叢中。以，與下句「而」字同，皆爲連接詞，無義。
(14)飛羽觴而醉月—羽觴，指鳥形的酒爵。觴，酒杯。醉月，醉酒於月下。飛，指殷勤敬酒之意。
(15)金谷酒數—晉石崇有金谷園，宴賓園中，賦詩不成，罰酒三斗。

【討論】

一、本文中，李白對人生的看法如何？
二、在宴飲中，李白獲得那些樂趣？

六　師說

韓　愈

【作者】

韓愈字退之，河南河陽（今河南省孟縣南）人。他的先世居昌黎（今河北徐水縣西），宋神宗時，封他爲昌黎伯，所以又稱韓昌黎。死後追贈爲禮部尙書，謚文。

唐代宗大曆三年（西元七六八年）生。

德宗貞元八年（西元七九二年），二十五歲，登進士第。

貞元十二年（西元七九六年），二十九歲，輔佐宰相董晉於汴州（今河南開封縣）。

貞元十五年（西元七九九年），三十二歲，董晉卒，愈往徐州（今江蘇銅山縣）依武寧軍節使張建封。

貞元十六年（西元八〇〇年），三十三歲，張建封卒，去徐居洛。

貞元十七年（西元八〇一年），三十四歲，擔任四門博士。

貞元十九年（西元八〇三年），三十六歲，升爲監察御史。十二月貶陽山令（今廣東連州陽山縣）。

順宗永貞元年（西元八〇五年），三十八歲，調任江陵府（今湖北江陵縣）法曹參軍，掌理刑事案件的審判工作。

憲宗元和元年（西元八〇六年），三十九歲，召拜國子博士。

元和二年（西元八〇七年），四十歲，以國子博士兼任東都司官。

元和四年（西元八〇九年），四十二歲，正式改調爲都官員外郎。

元和五年（西元八一〇年），四十三歲，爲河南令。

元和六年（西元八一一年），四十四歲，轉任職方員外郎。

元和七年（西元八一二年），四十五歲，降調爲國子博士。因才高而屢被擯黜，乃作進學解一篇自喻。

元和八年（西元八一三年），四十六歲，爲比部郎中，史館修撰。

元和十一年（西元八一六年），四十九歲，拜中書舍人，不久降調爲太子右庶子。

元和十二年（西元八一七年），五十歲，充彰義軍行軍司馬，從裴度東征，回京遷刑部侍郎。

元和十四年（西元八一九年），五十二歲，憲宗遣使者往鳳翔迎佛骨入宮中，愈上諫迎佛骨表，極力反對，帝甚爲震怒，想把他處死，賴裴度等人力救，乃貶爲潮州（今廣東省潮安縣）刺史。

穆宗長慶二年（西元八二二年），五十五歲，遷吏部侍郎。

穆宗長慶四年（西元八二四年）十二月去世，五十七歲。

愈自幼孤苦，幸賴嫂嫂鄭氏撫育，而他自己也很有志氣，刻苦研讀儒家書籍，每日記誦數千字，精通六經及百家之學。愈自許極高，以發揚聖學爲己任，曾提出「道統」之說，儼然上繼孟子，扛起儒家大幟，向佛、老挑戰。

唐初文章，承襲了自後漢、魏、晉、宋、齊、梁、陳、隋「八代」的不良風氣，講究對偶，注重詞藻的艷麗，不問內容有無價值，淫靡的風氣，甚至影響到政治和社會風氣。韓愈因此高倡古文運動，力主以群經子史爲文學之典範，一求其樸實無華，一求其涵蘊教化；而啓「文以載道」之先聲。愈友柳宗元、劉禹錫，暨門弟子李翺、李漢、張籍、皇甫湜、沈亞之等，皆是古文名家。至宋歐陽修、蘇洵、曾鞏、王安石、蘇軾、蘇轍繼起，古文遂成文章之正宗。後世選家錄韓、柳、歐、曾、王、三蘇八家文爲習文之範本，號稱唐宋八大家，而以韓愈爲首。有昌黎先生集。

【題解】

師說之「說」，是釋明意旨之意，「師說」即「談老師」。本課的主旨，在闡發老師的重要及價値。韓愈對於當代師道的淪喪，時俗的偏差，很有感慨，所以當李蟠來向他請教時，就做了這篇文章贈送他，說明爲學一定要有老師的道理。韓愈此文，雖說是爲李生而作，實際上也是針對當世的風氣而發。

【本文】

古之學者必有師。師者，所以傳道(1)、受(2)業、解惑(3)也。人非生而知之者，孰(4)能無惑？惑而不從師，其爲惑也，終不解矣。

生乎(5)吾前，其聞道也，固先乎吾，吾從而師之。生乎吾後，其聞道也，亦先乎吾，吾從而師之。吾師道也，夫庸(6)知其年之先後生於吾乎。是故無貴、無賤、無長、無少(7)，道之所存，師之所存也。

嗟乎！師道⑻之不傳也久矣，欲人之無惑也難矣！古之聖人，其出人⑼也遠矣，猶且從師而問焉。今之衆人，其下⑽聖人也亦遠矣，而恥學於師⑾。是故聖益聖，愚益愚。聖人之所以爲聖，愚人之所以爲愚，其皆出於此乎。

愛其子，擇師而教之，於其身⑿也，則恥師焉。惑矣！彼童子之師，授之書而習其句讀⒀者也，非吾所謂傳其道、解其惑者也。句讀之不知，惑之不解，或師焉，或不⒁焉，小學而大遺⒂，吾未見其明⒃也。

巫、醫、樂師、百工⒄之人，不恥相師⒅。士大夫之族，曰師、曰弟子云者⒆，則群聚而笑之。問之，則曰：「彼與彼年相若也，道相似也。」位卑則足羞⒇，官盛則近諛㉑。嗚呼！師道之不復可知矣。巫、醫、樂師、百工之人，君子不齒㉒，今其智㉓乃反不能及，其可怪也歟！

聖人無常師㉔，孔子師郯子㉕、萇弘㉖、師襄㉗、老聃㉘。郯子之徒，其賢不及孔子。孔子曰：「三人行，則必有我師㉙。」是故弟子不必不如師，師不必賢於弟子。聞道有先後，術業有專攻㉚，如是而已。

李氏子蟠(31)，年十七，好古文(32)。六藝經傳(33)，皆通習(34)之。不拘於時(35)，請學於余。余嘉(36)其能行古道(37)，作師說以貽(38)之。

【注釋】

(1)道—天下事物所應遵行的理。
(2)受—受，通「授」。
(3)惑—疑惑。
(4)孰—誰。
(5)乎—與「於」同義。
(6)夫庸—夫，音ㄈㄨˊ，發語詞。庸，豈，何必。
(7)無貴……無少—不論貴賤老少。貴，地位高；賤，地位低。
(8)師道—從師問學之道理。
(9)出人—超出常人。
(10)下—不及。
(11)恥學於師—以向老師學習爲恥。恥—動詞，以……爲恥。
(12)身—本身、自己。
(13)句讀—語意未完足，略加停頓，叫「頓」或「讀」，語意完足叫「句」。讀，音ㄉㄡˋ。
(14)或不—或，有的；不，音ㄈㄡˇ，同「否」。

(15)小學而大遺─學習小處而遺漏大處。小處指「句讀」，大處指「惑」。
(16)明─高明，聰明。參考注釋(23)。
(17)百工─各種工匠。
(18)不恥相師─不以從師爲恥。
(19)曰師曰弟子云者─以師、弟子相稱呼者。云，代詞，是這樣的說法。
(20)位卑則足羞─所師之人，官位卑小，則以爲可恥。
(21)官盛則近諛─所師之人，官位顯貴，則以爲諂媚。諛，音ㄩˊ，是委曲奉承。
(22)不齒─齒是並列。不齒，不屑與之同列，看不起的意思。
(23)智─指拜師學習。這裏跟上一段的「明」一樣，都是指聰明的人，會誠心學習，且學習精要的地方。
(24)聖人無常師─聖人無所不學，故無固定之師。論語子張篇：「子貢曰『夫子焉不學，而亦何常師之有。』」
(25)郯子─郯，音ㄊㄢˊ，春秋時小國（今山東省郯城縣境）。郯子，郯國之君。郯子知道少昊氏以鳥名官之緣故，並告訴魯昭公，孔子知道了，就向他學習。
(26)萇弘─周敬王時大夫，孔子曾向他習樂。
(27)師襄─魯之樂官。師，樂官名。孔子曾跟他學彈瑟。
(28)老聃─老子，姓李，名耳，字聃，楚人。孔子曾向他學禮。
(29)三人行……我師─論語述而篇：「子曰：『三人行，必有我師焉；擇其善者而從之，其不善者而改之。』」古人往往用「三」代表多數。
(30)專攻─專門學習。

(31)李蟠──貞元十九年進士。蟠，音ㄆㄢˊ。
(32)古文──即韓愈所提倡之散文，以別於當時流行之駢體文者。
(33)六藝經傳──六藝即六經，詩、書、禮、樂、易、春秋。傳，音ㄓㄨㄢˋ，解經之文為傳，如左傳、公羊傳、穀梁傳均為注解春秋者。
(34)通習──通曉學習。
(35)不拘於時──不為當時以從師為恥之習俗所拘束。
(36)嘉──讚美。
(37)古道──古人從師問學之道。
(38)貽──贈送。

【結構】

本篇是典型的議論文，請同學先將全篇綱目整理出來，而後由老師分析其作法，並說明本文的主要論點。

【討論】

一、衆人何以會恥學於師？韓愈不以從師為恥，為什麼呢？
二、時人聘來教童子的老師，在教學上有何偏差，韓愈認為當教些什麼？
三、「古之學者必有師」與今所謂「無師自通」是否有衝突？

四、三人行必有我師的意義何在？
五、韓愈文中的「師道」，與今日的「尊師重道」是否相同？

七　琵琶行并序

白居易

【作者】

白居易，字樂天，原籍太原（今山西省太原縣），後徙下邽（今陝西省渭南縣）。

唐代宗大曆七年（西元七七二年），生於鄭州新鄭縣。

德宗貞元三年（西元七八七年），十六歲，始至長安謁顧況，作「賦得古原草送別」。

德宗貞元十六年（西元八〇〇年），二十九歲，進士及第。

德宗貞元十九年（西元八〇三年），三十二歲，參加「拔萃」科考試，入甲等，授秘書省校書郎。

憲宗元和元年（西元八〇六年），三十五歲，才識兼茂明於體用科及第，除盩厔（今陝西盩厔縣）縣尉，作長恨歌。

元和二年（西元八〇七年），三十六歲，授翰林學士。

元和三年（西元八〇八年），三十七歲，授左拾遺。

元和九年（西元八一四年），四十三歲，召至長安授太子左贊善。

元和十年（西元八一五年），四十四歲，宰相武元衡被刺，上疏請捕賊，以越權之罪貶江州（今江西九江）司馬。

元和十一年（西元八一六年），四十五歲，作「琵琶行」。

元和十二年（西元八一七年），四十六歲，長兄幼文歿於浮梁，築草堂於廬山。

元和十三年（西元八一八年），四十七歲，除忠州（四川忠縣）刺史。

元和十五年（西元八二〇年），四十九歲，自忠州召還，拜尚書司門員外郎，更主客司郎中，除知制誥。

穆宗長慶元年（西元八二一年），五十歲，加朝散大夫，除中書舍人，知制誥。

長慶二年（西元八二二年），五十一歲，求外任，七月除杭州刺史。

長慶四年（西元八二四年），五十三歲，杭州刺史任期滿，除太子左庶子，分司東都洛陽。白氏長慶集成。

文宗太和元年（西元八二八年），五十七歲，除刑部侍郎。

太和六年（西元八三二年），六十一歲，結交香山寺僧，稱香山居士。

文宗開成元年（西元八三六年），六十五歲，授太子少傅，分司洛陽，進封馮翊縣侯。

武宗會昌二年（西元八四二年），七十一歲，辭太子少傅，以刑部尚書致仕。

會昌六年（西元八四六年），七十五歲，八月卒，贈尚書右僕射。

居易自幼聰慧，六歲便學作詩，二十歲以後，刻苦讀書，曾有口舌成瘡，手肘生胝的苦況。晚年白衣鳩杖，往來香山，自號香山居士，又號醉吟先生。

白居易出生於貧苦的鄉村，對貧苦早有相當的體驗，對農村的艱苦情形也非常熟悉。到了政界之後，親睹政治腐敗，民生疾苦，促成了他憂世救民、改造社會的理想。所以他提出「文章合爲時而著，歌詩合爲事而作」的號召，認爲文學要爲人生而作，文學應用來反映社會，改善時代，是當時有名的「社會詩人」。

他的詩歌平易明暢，婦孺能解，不但風行當時，且流傳到朝鮮和日本，實爲中國詩人無上的榮譽。

白居易與元稹交往最爲密切，他們情意相投，常相唱和，時稱「元白」。有白氏長慶集七十一卷傳世。

【題解】

這首詩的詩題是「琵琶引」，而在序言中卻說「命曰琵琶行」。「行」和「引」都是樂府歌辭的一體。

元和十一年（西元八一六年）的秋天，白居易因貶謫到江州做司馬，心中無限憂鬱，不知何以自遣？送客湓浦，適聞琵琶哀怨之音，於是寫下這首感情濃郁的敘事詩。通篇在「同是天涯淪落人，相逢何必曾相識。」的哀情下，處處透出感人的悲愁。

【本文】

元和十年(1)，予左遷(2)九江郡司馬(3)。明年秋，送客湓浦口(4)，聞舟中夜彈琵琶者。聽其音，錚錚然(5)有京都聲(6)。問其人，本長安倡女(7)，嘗學琵琶於穆、曹二善才(8)，年長色衰，委身(9)爲賈人(10)婦。遂命酒使快彈數曲。曲罷，憫然(11)自敘少小時歡樂事；今漂淪(12)憔悴，轉徙(13)於江湖間。予出官二年，恬然(14)自安，感斯人言，是夕始覺有遷謫(15)意，因爲長句，歌以贈之。凡六百一十六言，命(16)曰「琵琶行」。

潯陽江(17)頭夜送客，楓葉荻花(18)秋瑟瑟(19)，主人下馬客在船，舉酒欲飲無管絃(20)。醉不成歡慘將別，別時茫茫江浸月(21)。忽聞水上琵琶聲，主人忘歸客不發。

尋聲闇問(22)彈者誰？琵琶聲停欲語遲。移船相近邀相見，添酒回燈(23)重開宴。千呼萬喚始出來，猶抱琵琶半遮面。轉軸(24)撥絃三兩聲，未成曲調先有情；絃絃掩抑(25)聲聲思，似訴平生不得志；低眉信手(26)續續彈，說盡心中無限事。

輕攏慢撚抹復挑(27)，初爲霓裳(28)後六么(29)。大絃嘈嘈(30)如急雨，小絃切切(31)如私語，嘈嘈切切錯雜彈，大珠小珠落玉盤(32)。間關鶯語花底滑(33)，幽咽泉流水下灘(34)。水泉冷澀(35)絃凝絕(36)，凝絕不通聲暫歇，別有幽愁闇恨生，此時無聲勝有聲。銀瓶乍(37)破水漿迸(38)，鐵騎突出刀槍鳴。曲終收撥當心畫(39)，四絃一聲如裂帛(40)。——東船西舫(41)悄無言，唯見江心秋月白。

沈吟(42)放撥插絃中，整頓衣裳起斂容(43)，自言：「本是京城女，家在蝦蟆陵(44)下住，十三學得琵琶成，名屬教坊(45)第一部。曲罷曾教善才伏(46)，妝成每被秋娘(47)妒。五陵年少(48)爭纏頭(49)，一曲紅綃不知數(50)。鈿頭雲篦擊節碎(51)；血色羅裙翻酒污(52)。今年歡笑復明年，秋月春風等閒(53)度。弟走從軍阿姨死，暮去朝來顏色故(54)，門前冷落車馬稀，老大嫁作商人婦。商人重利輕別離，前月浮梁(56)買茶去；去來(57)江口守空船，繞船月明江水寒。夜深忽夢少年事，夢啼妝淚紅闌干(58)。」

我聞琵琶已歎息，又聞此聲重唧唧(59)。同是天涯淪落人，相逢何必曾相識！我從去年辭帝京(60)，謫居臥病潯陽(61)城。潯陽地僻無音樂，終歲不聞絲竹聲。住近溢江(62)地低濕，黃蘆苦竹繞宅生。其間旦暮聞何物？杜鵑啼血猿哀鳴(63)。春江花朝秋月夜(64)，往往取酒還獨傾(65)。豈無山歌與村笛？嘔啞嘲哳(66)難為聽。今夜聞君琵琶語，如聽仙樂耳暫明。莫辭更坐彈一曲，為君翻作(67)琵琶行。

感我此言良久立，卻坐(68)促絃(69)絃轉急，淒淒不似向前(70)聲，滿座重聞皆掩泣(71)；座中泣下誰最多？江州司馬青衫濕(72)。

【注釋】

(1)元和十年—西元八一五年。元和是唐憲宗的年號。

(2)左遷—貶官叫左遷。古人以右為尊，故降低職位叫做左遷。時宰相武元衡被刺，白居易上書請捕刺客，為當道所惡，由太子左贊善貶為江州司馬。

(3)司馬──官名。唐代的地方自治，於各州設置司馬一人，為州郡太守的佐吏。

(4)湓浦口──地名，在九江縣西，湓水入長江的地方，又稱湓口。

(5)錚錚然──鏗鏘清脆的絃聲。錚，音ㄓㄥ。

(6)京都聲──唐朝京都在長安。意為商婦彈奏琵琶的聲音，像長安樂師所奏的聲音。

(7)倡女──伎樂女子。

(8)善才──唐代稱琵琶師為善才。善才原為人名，善彈琵琶，後遂轉為琵琶師之稱。

(9)委身──委託終身。

(10)賈人──商人。賈，音ㄍㄨˇ。

(11)憫然──感傷的樣子。

(12)漂淪──漂泊淪落。

(13)轉徙──輾轉遷徙。

(14)恬然──逍遙自在的樣子。

(15)遷謫──指被貶官遠放的事。

(16)命──命名。

(17)潯陽江──近潯陽之長江名為潯陽江，在江西省九江縣西北。

(18)荻花──荻，草名，蘆葦類的植物，生於水邊，花黃白色。

(19)瑟瑟──形容風吹葉動的聲音。

(20)管絃—樂器的通稱，也稱絲竹；簫、笙、笛子爲管樂（竹），琵琶、琴、瑟爲絃樂（絲）。這裡指音樂。

(21)別時……浸月—茫茫，一方面指江面遼闊，一方面指月色迷濛。意思是在行將別離的時候，只見迷濛的月光沉映在遼闊大江中，無限淒涼。

(22)闇問—闇通「暗」。悄悄的問。

(23)回燈—移燈。

(24)轉軸—轉動絃軸，指調音。

(25)掩抑—形容聲音低沈。

(26)信手—隨手。

(27)輕攏……復挑—攏是用手在絃線上按捺。撚，音ㄋㄧㄢˇ，拈弄。抹是揮動。挑是用指尖挑起。都是琵琶的指法。

(28)霓裳—就是霓裳羽衣曲。傳說是在唐玄宗開元年間由西涼傳人，原名婆羅門曲，玄宗把它改名叫霓裳羽衣曲。宋郭茂倩樂府詩集則說：唐玄宗和方士羅公遠遊月宮，見仙女數百，著素練裳衣，舞於廣庭，其曲名霓裳羽衣，玄宗默記其音調，還而作霓裳羽衣曲。

(29)六么—唐時琵琶曲名，一作錄腰，亦作錄要。

(30)嘈嘈—形容聲音激昂密急。

(31)切切—形容聲音輕柔鬆緩。

(32)大珠……玉盤—聲音圓潤清脆如珠落玉盤。

(33)間關……底滑—間關，鳥啼聲。此句意謂歡樂的樂音，像是黃鶯鳥悅耳的啼聲，在花叢中傳出來。

(34)幽咽……下灘—說哀傷的樂音，像那哽咽沈抑的泉流，從沙灘上流過。
(35)水泉冷澀—水極冷以至於凍滯不通，這裡指聲音的滯澀。
(36)凝絕—形容聲音由滯澀而至斷絕。
(37)乍—突然。
(38)迸—湧出、濺射。迸，音ㄅㄥˋ。
(39)收撥當心畫—撥是彈琵琶的撥子。收撥，即抬高撥子。當心畫是在琵琶中心畫過去。
(40)裂帛—撕裂綢子，形容聲音粗雜淒厲。
(41)舫—兩船相並爲舫，這裡用爲船的通稱。舫，音ㄈㄤˇ。
(42)沈吟—沈思不語的樣子。
(43)斂容—整肅儀容。
(44)蝦蟆陵—在陝西省長安縣城南，是出美女名妓的地方。
(45)教坊—唐開元二年，置左右教坊，專門負責教習和管理宮禁中的優伶和歌伎。凡宮中禮宴，都用女樂歌舞表演。
(46)伏—與「服」通，佩服。
(47)秋娘—美女的泛稱。
(48)五陵年少—五陵在長安附近，是漢高祖、惠帝、景帝、武帝、昭帝的陵墓。漢代曾遷徙豪族巨富於五陵附近，因此而置縣。五陵年少，就是指京師附近的富貴子弟。
(49)爭纏頭—古時跳舞用彩錦纏頭，當賓客宴集，跳舞完畢後，常互贈羅錦爲彩，叫做纏頭。對於青樓歌伎，客人也往往賜錦獎賞，作纏頭之用，後來大多用財物代替。爭纏頭是說爭相贈送纏頭爲彩。

(50)一曲……不知數—綃，音ㄒㄧㄠ，是彩綢。每當唱罷一曲，不知得到多少彩綢。

(51)鈿頭……節碎—鈿，音ㄉㄧㄢˋ，金花寶飾；篦，音ㄅㄧˋ，細密的梳子；梳子上面雕有雲紋的，叫「雲篦」。兩頭鑲嵌有金花寶飾的叫「鈿頭雲篦」。擊節是打拍子。這句是說用金花寶飾的雲篦來打拍子，把雲篦都敲碎了。

(52)血色……酒污—血色是鮮紅色。羅是輕軟有疏孔的絲織物。是說鮮紅的羅裙，常因酒杯的翻覆而污損。

(53)秋月春風—指美好的時光。

(54)等閒—輕易，不留意。

(55)顏色故—故，舊的意思。顏色故是指容貌衰老。

(56)浮梁—今江西省浮梁縣，爲著名茶市。

(57)去來—就是來的意思，「去」無意。

(58)妝淚紅闌干—闌干本是編木條作爲遮欄，引申爲縱橫交錯的意思，這裡用來形容淚流滿面的樣子。女人的臉上塗有胭脂，流淚時，胭脂和淚水混流滿面，所以說妝淚紅闌干。

(59)唧唧—嘆息聲。唧，音ㄐㄧˊ。

(60)帝京—即京城。

(61)潯陽—今江西省九江縣。

(62)湓江—又名湓潤、湓水、湓浦、源出江西瑞昌縣清湓山，東流經九江縣城下，北入長江。

(63)杜鵑……哀鳴—杜鵑，又名子規，在春雨前常常啼叫不停，啼聲悽厲，容易勾起旅客歸思，所以也叫「

思歸鳥」，傳說嘴裡能啼出血來。猿，和猴同類，常於淒風苦雨的夜晚，在山林間哀啼不已，其聲淒楚。

(64)春江……月夜—指良辰美景。

(65)獨傾—傾是倒出，自己一個人斟酒獨飲。

(66)嘔啞嘲哳—嘈雜不和諧的音樂。哳，音ㄓㄚˊ。

(67)翻作—有所因而製作。

(68)卻坐—卻，退；退坐，回坐。

(69)促絃—撥動琴絃。

(70)向前—先前。

(71)掩泣—掩面而泣。

(72)青衫濕—青衫是便服，是說因落淚太多，沾濕衣襟。

【結構】

請同學依白居易之描述，把第三段琵琶音的段落分出來，而後由老師分析其感情與變化。

【賞析】

文人失意不得志的時候，常常會以詩文來發抒內心的理想和感情。因此當白居易貶謫江州，因送別而聞琵琶聲，聽商婦哀怨而觸己愁腸，很自然的興懷抒寫了琵琶行。這首詩，實在是藉著一個商婦琵琶的滄桑，說明人生的無常和空虛，以抒寫自己天涯淪落的惆悵，懷才不遇的苦悶，道出了「同是天涯淪落人」

同病相憐的心情，難怪在餞別友人的宴席上，聽了琵琶要青衫爲濕了。

不僅內容堅實，現實意義重大，琵琶行也是具有高度藝術性的敘事詩。在景物描寫方面，作者通過「楓葉荻花秋瑟瑟」、「別時茫茫江浸月」、「東船西舫悄無言，惟見江心秋月白」的傷感淒涼的景色來表現琵琶女的傷感以及造成抒情的氣氛。在音樂描寫方面，作者以高度豐富的想像和驚人的駕馭語言的能力，把飛揚無形而又美妙的音樂，用具體的實物形象來形容。例如詩中曾以急雨、私語、珠玉、鶯語、咽泉、銀瓶、鐵騎、裂帛等具體可感的事物來作比較，表現了音樂中的各種不同的旋律。同時他也適當的運用了疊字來加強表現力，例如絃絃、聲聲、續續、嘈嘈、切切等，白居易是如此巧妙地發揮了漢語辭彙和表現方法的特點，利用了他的象聲和節奏感，加強了形象表現力。就是因爲有眞實的情感和優美的意境及美妙的文辭，而使得這篇作品爲人傳誦，成爲千古不朽的詩篇。

【討論】

一、婦人的琵琶音，何以能讓主人忘歸而客人不發？

二、白居易在琵琶行中，透過音樂的緩急輕重，展現了琵琶女起伏迴蕩的思潮，試舉例說明琵琶女之心情變化。

三、試從社會地位，身世經歷兩方面，說明琵琶行一詩中兩個主要人物的失意感有何不同？

四、詩人容易見景生情，也常常託物表情，本詩中作者借用那些物體，烘托其情緒？其效果如何？

五、本詩中，作者用那些具體事物來比喻樂音以及音樂所造成的氣氛？

八　捕蛇者說

柳宗元

【作者】

柳宗元，字子厚，唐河東解（今山西解縣）人。

唐代宗大曆八年（西元七七三年），生於長安。父鎮，曾佐郭子儀朔方幕府。

德宗貞元九年（西元七九三年），二十一歲，登進士第。

貞元十二年（西元七九六年），二十四歲，考取博學宏辭科，授校書郎，調藍田尉。

貞元十九年（西元八〇三年），三十一歲，召回京任監察御史。時翰林學士王叔文當政，頗賞識他的才華，遂擢升爲禮部員外郎。

順宗永貞元年（西元八〇五年），三十三歲，八月，王叔文被免職治罪，宗元也遭牽連，貶爲邵州刺史。十一月，又降貶永州（今湖南零陵等七縣）司馬。既遭竄逐，地又荒癘，閒居無事，潛心文學，有名的「永州八記」即此時期所作。

憲宗元和九年（西元八一四年），四十二歲，召回長安。

元和十年（西元八一五年），四十三歲，三月，調任柳州（今廣西柳城縣）刺史，有善政，爲文益進。世號柳柳州。

元和十四年（西元八一九年）十一月八日死於柳州，時四十七歲。當地百姓感其德政，於羅池立廟祀之，韓愈爲作碑文。

子厚早年聰明絕倫，爲文卓偉精緻，一時輩行推仰。又得志很早，儁傑廉悍，意氣風發，不自貴重顧藉，所以屢致廢退。其古文雄深雅健，與韓愈齊名。但愈文純以儒家爲宗，常以明道自任；而宗元則取法較廣，不盡爲儒家所囿。子厚之文，除遊記工緻外，又善作寓言，警異湛深，發人省思。其詩亦高古沈鬱。死後託劉禹錫編訂之作品四十五卷，題爲柳河東集，又有龍城錄，並傳於世。

【題解】

這是一篇寓言。作者藉永州地方一個捕蛇者的話，表達當時賦稅的重苛，及人民生活的慘狀，諷刺時政，希望視察民情的人加以採錄。篇中說蔣氏三代專門以捕毒蛇爲業，其父祖都因其而死，但其自身並不因而恐懼改業。因爲那些守分守己，努力耕種的鄰人，飽受賦斂之害，窮困餓死於道路，十室九空。而蔣氏一年之中只要冒兩次生命危險，去捕那其毒無比的蛇，好充當賦稅，其餘時間便可安靜過日子。唐代自安、史之亂後，歷肅、代、德、順四君（約六十年），藩鎭日漸坐大，朝廷用兵頻仍，所以賦稅很重。這雖是一篇寓言，其實就是反映當時社會民生、爲民請命的活生生的實際作品，中間記蔣氏的一段，用反諷的方式來表現，尤其發人深省。

【本文】

永州(1)之野產異蛇，黑質而白章(2)，觸草木盡死。以齧(3)人，無禦之者。然得而腊(4)之以爲餌(5)，可以已大風(6)、攣踠(7)、瘻(8)、癘(9)，去死肌，殺三蟲(10)。其始，太醫以王命聚之，歲賦其二；募有能捕之者，當其租入(11)。永之人，爭奔走焉。

有蔣氏者，專其利三世矣。問之，則曰：「吾祖死於是(12)，吾父死於是，今吾嗣爲之十二年，幾死者數矣。」言之，貌若甚戚者。

余悲之，且曰：「若毒之(13)乎？余將告於蒞事者(14)，更若役，復(15)若賦，則何如？」

蔣氏大戚，汪然(16)出涕，曰：「君將哀而生之乎？則吾斯役(17)之不幸，未若復吾賦不幸之甚也。嚮吾不爲斯役，則久已病(18)矣。自吾氏三世居是鄉，積於今六十歲矣，而鄉鄰之生日蹙(19)。殫(20)其地之出，竭其廬之入，號呼而轉徙(21)，餓渴而頓踣(22)，觸風雨，犯寒暑，呼噓(23)毒癘，往往而死者，相藉(24)也。曩與吾祖居者，今其室十無一焉；與吾父居者，今其室十無二三焉；與吾居十二年者，今其室十無四五焉。非死則徙爾，而吾以捕蛇獨存。悍吏之來吾鄉，叫囂(25)乎東西，隳突(26)乎南北，譁然而駭者，雖雞狗不得寧焉。吾恂恂(27)而起，視其缶(28)，而吾蛇尚存，則弛然(29)而臥。謹食之，時而獻焉(30)。退而甘食其土之有，以盡吾齒。蓋一歲之犯死者二焉，其餘則熙熙(31)而樂，豈若吾鄉鄰之旦旦有是哉？今雖死乎此，比吾鄉鄰之死則已後矣，又安敢毒邪？」

余聞而愈悲。孔子曰：「苛政猛於虎也！」(32)吾嘗疑乎是。今以蔣氏觀之，猶信。嗚呼！孰知賦斂之毒，有甚是蛇者乎？故爲之說，以俟夫觀人風者(33)得焉。

【注釋】

(1)永州—今湖南零陵縣。柳宗元自永貞元年至元和九年，貶在此處當司馬。
(2)黑質而白章—體質呈黑色，有白色的花紋。
(3)齧—音ㄋㄧㄝˋ，亦作嚙；噬、咬的意思。
(4)腊—音ㄒㄧˊ，乾肉。這裡作動詞用，腊之，即把蛇製成乾肉。
(5)餌—藥餅。
(6)已大風—大風，惡疾名，即大痲風。已，本停止之意，這裡指治療。
(7)攣踠—音ㄌㄩㄢˊ ㄨㄢˇ，手腳彎曲不能伸直。
(8)瘻—音ㄌㄡˋ，脖子腫。
(9)癘—毒瘡，也可以指疫氣。這裡應作前者解。
(10)三蟲—三尸蟲。
(11)太醫……租入—賦，徵收；當，充當，抵當。全句是說：御醫奉皇帝命收集，每年徵收兩次蛇；招募有能捕到牠的，繳蛇可以抵當租稅。
(12)死於是—死於捕蛇之事。

⒀若毒之—若，你；毒，怨恨。
⒁蒞事者—當事者，即指掌管徵收蛇的官員。
⒂復—恢復。
⒃汪然—涕淚湧出的樣子。
⒄斯役—這個差事，指捕蛇而言。
⒅病—困苦不堪。
⒆蹙—音ㄘㄨˋ，窘迫。
⒇殫—竭盡。
(21)號呼而轉徙—呼天搶地，輾轉遷移，不得安居。
(22)頓踣—頓，跌倒；踣，音ㄅㄛˊ，僵斃。
(23)呼噓—即呼吸。
(24)相藉—交横而臥。這裡指死尸而言。
(25)叫囂—大聲呼噪。
(26)隳突—隳，音ㄏㄨㄟ，毁壞；突，衝犯。隳突，騷擾。
(27)恂恂—恂，音ㄒㄩㄣˊ；恂恂，信實、謹慎的樣子。
(28)缶—音ㄈㄡˇ，盛酒漿用的大腹小口的瓦器。
(29)弛然—放心的樣子。
(30)謹食之，時而獻焉—之，指蛇。小心的把蛇養好，時候一到就把它獻上去。

(31)熙熙—和樂、愉快。
(32)此語見禮記檀弓下。原意是說：繁重的賦稅比兇猛的老虎更可怕。
(33)觀人風者—即視察民情的人。

【結構】

請同學整理出本課綱目。

【討論】

一、蔣氏明知捕毒蛇要冒生命危險，爲何不願改變納稅方式？
二、在現實社會中，也有許多危險性較大的行業（如礦工），爲什麼還有人去做？這和捕蛇者的處境是不是一樣？
三、本文的寫作體式與表意方式有那些特色。
四、試以實際生活爲題材，作一小篇寓言，來暗示你對某些事情的看法。（主旨不在字面上出現）。

孔子與論語

【孔子】

孔子名丘，字仲尼，父叔梁紇，母顏氏，魯國（今山東省曲阜縣）人。孔子的祖先是宋國的貴族，而宋是殷商的後裔，因此他承認自己是殷人。

周靈王二十一年，魯襄公二十二年（西元前五五一年），十月二十七日（合陽曆九月二十八日），孔子生。

周靈王二十三年，魯襄公二十四年（西元前五四九年），三歲，父叔梁紇卒。

周景王元年，魯襄公二十九年（西元前五四四年），八歲，約在此時開始學習祭祀，練習行禮。

周景王八年，魯昭公五年（西元前五三七年），十五歲，有志於學。

周景王十二年，魯昭公九年（西元前五三三年），十九歲，娶宋幵官氏。

周景王十三年，魯昭公十年（西元前五三二年），二十歲，生子鯉，做委吏，乘田的小差事，替貴族管理倉庫和園囿。

周景王十七年，魯昭公十四年（西元前五二八年），二十四歲，母顏氏卒。

周景王二十年，魯昭公十七年（西元前五二五年），二十七歲，學古官制於郯子。

周敬王三年，魯昭公二十五年（西元前五一七年），三十五歲，魯三桓氏攻魯昭公，魯亂，昭公出奔。

孔子赴齊求仕。

周敬王五年，魯昭公二十七年（西元前五一五年），三十七歲，孔子至齊不遇，可能在此年返魯。在定公九年出任魯司寇之前的十四、五年間，是孔子教學生涯的黃金時期。子路、曾晳、閔子騫、冉求、顏淵等，都是此期所收的學生。

周敬王十九年，魯昭公九年（西元前五〇一年），五十一歲，被授爲中都宰，後升任小司空，又升任大司寇。

周敬王二十年，魯定公十年（西元前五〇〇年），五十二歲，魯與齊會盟，兩國國君在夾谷（今山東省萊蕪縣）締約。孔子隨定公前往，有傑出的表現，使齊侯歸還所侵佔的魯國土地，是孔子政治生涯中最燦爛的一頁。

周敬王二十二年，魯定公十二年（西元前四九八年），五十四歲，派仲由當季氏的家宰，拆毀孟孫、叔孫、季孫三家封邑的城牆。

周敬王二十三年，魯定公十三年（西元前四九七年），五十五歲，離魯至衛。

周敬王二十七年，魯哀公二年（西元前四九三年），五十九歲，離衛。次年經宋至陳。

周敬王三十一年，魯哀公六年（西元前四八九年），六十三歲，吳師伐陳，往蔡避難，在陳蔡之間絕糧。至蔡，見葉公，秋返衛。

周敬王三十六年，魯哀公十一年（西元前四八四年），六十八歲，魯人以幣迎孔子，孔子返魯。明年，子鯉卒。

周敬王四十一年，魯哀公十六年（西元前四七九年），七十三歲，孔子卒。

孔子幼年喪父，家境貧寒，但卻很喜歡讀書和學習禮制，嬉戲時，常模仿大人陳設「俎豆」來祭祀天地。

生當春秋亂世，一心一意想要重振文武周公所創的人文制度，以恢復天下的太平，於是周遊列國，渴望得到一個從政的機會，來實現他的政治主張，可惜當時的君王短視近利，只知道逞強爭「霸」，而忽視天下一統的重大意義，致使孔子處處碰壁，不獲見用，只好回到魯國，以教學著述傳其志事。

孔子在教育方面的成就是偉大的，他所教的學生，有的在政治上得到機會，施展孔子的政治抱負，促成戰國布衣卿相的風氣，有的則在學術上發揚孔子的主張，形成百家爭鳴之形勢。

孔子是儒家的創始者，也是中國文化史上第一個建立思想體系的。他的學說，基本上是承襲著文武周公的方向，重「人文」建設，以「倫理道德」爲標準，確立仁、義、禮、忠恕、正直、正名等觀念。

孔子曾以「六經」作爲教材，其中，詩書禮樂是他從舊有篇章中選編的，春秋是他據魯史編訂而成，周易透過他的解釋而有了新意義和新價值。

【論語】

論語，儒家最重要的經典，是孔子的弟子和再傳弟子，記述他的言行，和一部分弟子的言行而成。當初弟子們各有所記，後來相與輯論而纂成一部書，所以叫做「論語」。也有人認爲是孔子、門人談論德養之語，所以叫「論語」。更有人把「論」說成「倫」，「倫語」即談論倫理之語。

漢代論語有三種傳本，一爲魯論語二十篇，是漢初魯人伏生所傳。二爲齊論語二十二篇，比魯論語多「問王，」「知道」二篇，是齊人膠東庸生所傳。三爲古論語二十一篇是魯恭王得於孔宅壁中者，字句篇次和齊魯論語各有異同。東漢鄭玄依魯論語篇章，參考齊論語古論語，校注論語，後世遂只傳魯論語。宋朱熹把論語列爲四子書（即四書）之一，並輯宋儒十一家之學說，撰論語集註，成爲通行之讀本。

現今之論語共二十篇。內容包括人格修養之訓示、倫理道德、政治主張、哲理、自述、對弟子及古人時人的評論、因人施教的問答、孔子日常行事及門人贊美孔子之語等。從論語，我們可以看出孔子的思想和人格，也可以得到孔子的傳記資料。

九　論語㈠—仁、忠、恕

【題解】

本課十四章論述孔子中心思想「仁」，可分爲四部分：

第一部分強調仁是道德的核心，一切道德都攝於仁。

第二部分說明「仁」乃「視人猶己」之「大公」之德，爲一至高的「愛」。至其實行功夫，則須時時「就近取譬」，「推己及人」，抱著「己立立人，己達達人。」「己所不欲，勿施於人。」之「忠恕」胸懷。

第三部分敘述基於「仁」而表現出來的誠敬謹愼等美德。

第四部分舉出修養「仁」德的方法—「克己」。

透過「忠恕」的胸懷，以及「禮」的約導，「仁」這種至高至大的道德，便有了眞實感。儘管孔子沒說出「仁」到底是怎樣的道德，卻也不妨礙「仁」的存在價值。

【本文】

一

1.子曰：「志於道(1)，據(2)於德(3)，依(4)於仁，游(5)於藝(6)。」（述而）

2.子曰：「富與貴，是人之所欲也；不以其道，得之不處⑺也。貧與賤，是人之所惡也；不以其道，得之不去也。君子去仁⑻，惡乎成名⑼？君子無終食之間⑽違仁，造次⑾必於是⑿，顛沛⒀必於是。」（里仁）

3.子曰：「人而不仁，如禮何⒁？人而不仁，如樂何？」（八佾）

二

4.子曰：「夫仁者，己欲立而立人，己欲達而達人⒂。能近取譬⒃，可謂仁之方⒄也已。」（雍也）

5.仲弓⒅問仁。子曰：「出門如見大賓⒆，使民如承大祭⒇。己所不欲，勿施於人。在邦㉑無怨，在家㉒無怨。」仲弓曰：「雍雖不敏，請事㉓斯㉔語矣！」（顏淵）

6.樊遲問仁。子曰：「愛人。」（顏淵）

7.子曰：「唯仁者，能好人，能惡人㉕。」（里仁）

8.子貢問曰：「有一言而可以終身行之者乎？」子曰：「其『恕』乎！己所不欲，勿施於人。」（衛靈公）

9.子曰：「參(26)乎！吾道一以貫之(27)。」曾子曰：「唯(28)。」子出。門人(29)問曰：「何謂也？」曾子曰：「夫子之道，忠恕(30)而已矣！」（里仁）

三

10.司馬牛(31)問仁。子曰：「仁者，其言也訒(32)。」曰：「其言也訒，斯謂之仁矣乎？」子曰：「爲之難，言之得無訒乎？」（顏淵）

11.子曰：「巧言(33)，令色(34)，鮮(35)矣仁。」（學而）

12.樊遲(36)問仁。子曰：「居處恭(37)，執事敬(38)，與人忠，雖之(39)夷狄(40)不可棄也(41)。」（子路）

13.樊遲……問仁。曰：「仁者先難而後獲(42)，可謂仁矣。」（雍也）

四

14.顏淵問仁。子曰：「克己復禮(43)爲仁。一日克己復禮，天下歸仁焉。爲仁由己，而由人乎哉？」顏淵曰：「請問其目(44)。」子曰：「非禮勿視，非禮勿聽，非禮勿言，非禮勿動。」顏淵曰：「回雖不敏，請事斯語矣。」（顏淵）

【注釋】

(1)道—人倫事物之間所當遵行者。
(2)據—執守。
(3)德—「得」於「道」而存於人之修養。
(4)依—遵行。
(5)游—沈浸游賞。
(6)藝—指禮、樂、射、御、書、數六藝。
(7)處—享有。
(8)去仁—離開仁德。
(9)惡乎成名—惡，音ㄨ，何能；名，好的聲譽。
(10)終食之間—吃完一頓飯之時間，比喻時間短促。
(11)造次—倉皇急促之時。
(12)必於是—必，一定；是，此，指「仁」。
(13)顛沛—傾覆流離之際。
(14)如禮何—如……何，即如何……，如禮何，即如何能行禮？
(15)已欲立……達人—立，站立；達，達成。自己想站得起來，也要使別人站得起來；自己想達成心願，也要使別人達成心願。

(16)能近取譬──近指自身；譬，比喻。此句是說能夠就近拿自身做比喻，也就是「推己及人」的意思。
(17)方──方法。
(18)仲弓──冉雍的字，魯人，孔子弟子。
(19)如見大賓──比喻誠敬謹愼。
(20)如承大祭──承，承當，也是誠敬謹愼之意。
(21)邦──諸侯封地。
(22)家──大夫封地。
(23)事──奉行。
(24)斯──這些。
(25)唯仁者……惡人──仁者至公無私，好惡客觀而無私，非仁者則常爲私心所左右。
(26)參──音ㄕㄣ，曾子名。曾子字子輿，魯國南武城（今山東費縣西南）人，少孔子四十六歲。他和他父親曾皙都是孔子的學生。
(27)吾道一以貫之──道，學說；貫，貫通。一以貫之，即「以一貫之」，用一個中心思想來貫穿它。
(28)唯──下輩應諾上輩之辭。
(29)門人──指孔子弟子，也就是曾子當時的同學。
(30)忠恕──即推己及人，「忠」是己立立人，己達達人（積極一面），「恕」是己所不欲，勿施於人（消極一面）。
(31)司馬牛──姓司馬，名犂，字子牛，孔子弟子。

(32)訒—音ㄖㄣˋ，木訥不快捷。
(33)巧言—迎合他人心意的巧妙言語。
(34)令色—博取他人好感的和善顏色。
(35)鮮—音ㄒㄧㄢˇ，少。
(36)樊遲—姓樊，名須，字子遲，魯人，孔子弟子，少孔子三十六歲。
(37)居處恭—日常起居言行恭敬有禮。
(38)執事敬—行事謹慎。
(39)之—往，到。
(40)夷狄—狄，北邊的異邦；夷，東邊的異邦。
(41)不可棄—不可違背恭、敬、忠的要求。
(42)先難而後獲—即先苦後甘。
(43)克己復禮—克制自己，使言行合於「禮」的要求。復，返回。復禮，返回禮的軌轍。
(44)目—詳細的原則。

【討論】

一、孔子論到「仁」的那些方面，其要點如何？是否對「仁」有了定義？
二、何以唯有「仁」者才能「好人」「惡人」？
三、「仁」者何以「言訒」，何以「先難後獲」？
四、「克己復禮」如何算是行「仁」？

一〇　論語(二)—孝、弟、義

【題解】

本課十六章是孔門有關「孝」「弟」「義」的言論，可分爲四部分：

第一部分強調孝弟是行「仁」的根本，也是人必須先具備的，並說明「孝」的本質。

第二部分勸人當重義輕利，事事以「義」爲準，不可有成見。

第三部分提出士人應以行義爲志，而爲了行義，賢能之士也應挺身而出，爲天下效命，否則便廢了君臣之義，違逆了大倫。

第四部分說明上位的人應有「義」的德義，才能使人民信服。

「義」是存在人倫之間的「當」「不當」之標準，是人們基於倫理而由「仁」心產生的，並非外在的規範，所以孔子才把「父爲子隱」「子爲父隱」視爲「直」而合「義」（子路篇），這在重「法」的人看來，簡直就不可思議，這便是儒家倫理觀念的特色。

【本文】

一

1.有子(1)曰：「其爲人也孝弟(2)，而好犯上(3)者鮮矣！不好犯上，而好作亂者，未之有

也(4)。君子務本(5)，本立而道生(6)。孝弟也者，其爲仁之本與！」（學而）

2.子曰：「弟子(7)入則孝，出則弟(8)，謹而信(9)，汎愛衆(10)，而親仁，行有餘力，則以學文(11)。」（學而）

3.子游(12)問孝，子曰：「今之孝者，是謂能養(13)。至於犬馬皆能有養，不敬，何以別乎？」（爲政）

4.孟懿子(14)問孝，子曰：「無違(15)。」樊遲御(16)，子告之曰：「孟孫(17)問孝於我，我對曰：『無違』。」樊遲曰：「何謂也(18)？」子曰：「生，事之以禮；死，葬之以禮，祭之以禮。」（爲政）

5.子夏(19)問孝。子曰：「色難(20)！有事弟子服其勞；有酒食(21)，先生(22)饌(23)。曾是(24)以爲孝乎？」（爲政）

6.孟武伯(25)問孝。子曰：「父母唯(26)其(27)疾之憂。」（爲政）

7.子曰：「君子之於天下也，無適(28)也，無莫(29)也，義之與比(30)。」（里仁）

8.子曰：「君子喻(31)於義，小人喻於利。」（里仁）

9.子曰：「群居終日，言不及義，好行小慧(32)，難矣哉！」（衛靈公）

10.子曰：「飯疏食(33)飲水，曲肱(34)而枕之，樂亦在其中矣。不義而富且貴，於我如浮雲。」（述而）

三

11.子路曰：「不仕無義。長幼之節，不可廢也！君臣之義，如之何其廢之？欲潔其身，而亂大倫(35)。君子之仕也，行其義也。道之不行，已知之矣！」（微子）

12.子張(36)問：「士何如，斯可謂之達矣？」子曰：「何哉？爾(37)所謂達者！」子張對曰：「在邦必聞(38)，在家必聞。」子曰：「是聞也，非達也。夫達也者：質直(39)而好義，察言而觀色，慮以下人(40)，在邦必達，在家必達。夫聞也者：色取仁而行違(41)，居之不疑，在邦必聞，在家必聞。」（顏淵）

四

13.子張曰：「士見危致命(42)，見得思義，祭思敬，喪思哀，其可已矣。」（子張）

14.子謂子產(43)有君子之道四焉：「其行己也恭，其事上也敬，其養民也惠，其使民也義。」（公冶長）

15.樊遲請學稼(44)。子曰：「吾不如老農。」請學爲圃(45)。曰：「吾不如老圃。」樊遲出，子曰：「小人(46)哉，樊須也！上好禮，則民莫敢不敬；上好義，則民莫敢不服；上好信，則民莫敢不用情(47)。夫如是，則四方之民，襁(48)負其子而至矣，焉(49)用稼？」（子路）

16.子路曰：「君子尚(50)勇乎？」子曰：「君子(51)義以爲上。君子有勇而無義爲亂，小人(52)有勇而無義爲盜。」（陽貨）

【注釋】

(1)有子—姓有名若，魯人，孔子弟子，少孔子三十三歲。論語有子、曾子二人不稱名，因此很多人懷疑論語就是由他們二人的學生所纂述的。

(2)孝弟—善事父母爲孝，善事兄長爲弟。弟，音ㄊㄧˋ，今作「悌」。

(3)犯上—冒犯在上之人。

(4)未之有也—即「未有之也」，意謂不會有那種人。

(5)務本—講求根本。

(6)本立而道生—根本建立好，就能修得該有的「道」「德」。

(7)弟子—即「子弟」，指做子女、做弟妹的，和稱「門人」爲「弟子」的用法不同。

(8)入……弟—入，在家裡；出，離開家。

(9)謹而信—做事要謹愼，說話要信實。

(10)汎愛衆—博愛大衆。汎，音ㄈㄢˋ，同「泛」，廣博。

(11)文—文事，指易、書、詩、禮、樂、春秋。

(12)子游—姓言，名偃，吳人，孔子弟子，少孔子四十五歲。

(13)是謂能養—是謂，只是指……而言。養，音ㄧㄤˋ，謂飲食供奉。

(14)孟懿子—魯大夫，姓仲孫，名何忌，謚號懿。

(15)無違—不要違背。

(16)御—駕駛車輛。

(17)孟孫—即仲孫何忌。

(18)何謂也—作「這是什麼意思呢？」解。

(19)子夏—姓卜，名商，字子夏，少孔子四十四歲，衛國溫邑人；晚年曾設教於西河之上，爲魏文侯師，所以一說以爲魏人。

(20)色難—態度容色要表現得適宜最難。

(21)酒食—酒飯。食，音ㄙˋ，飯食。

(22)先生—指父母兄長。
(23)饌—音ㄓㄨㄢˋ，吃喝。
(24)曾是—曾，乃是；是，如此，這樣。
(25)孟武伯—姓仲孫，名彘，諡武，孟懿子之子。
(26)唯—只，最。
(27)其—指子女。
(28)適—音ㄉㄧˊ，絕對肯定。
(29)莫—絕對否定。
(30)義之與比—之，語助詞；與，和「爲」用法同，亦語氣辭；比，音ㄅㄧˋ，依從。義之與比，即「義之爲比」，即「比義」，謂凡事依據義來判斷。
(31)喻—明曉。
(32)小慧—小聰明。
(33)飯疏食—飯，作動詞用，吃。疏食，謂粗飯。食，音ㄙˋ，名詞。
(34)曲肱—彎著手臂。
(35)大倫—謂人倫之大者：父子有親，君臣有義，夫婦有別，長幼有序，朋友有信，是爲五倫。
(36)子張—姓顓孫，名師，字子張，陳人，孔子弟子，少孔子四十八歲。
(37)爾—你。
(38)聞—有名。

(39)質直—本質秉直。
(40)慮以下人—慮，行事謹愼，考慮周密。以，與「而」用法同，而且。下人，謙遜。
(41)色取仁而行違—色，外表。表面裝著求仁的樣子，行爲卻違背「仁」道。
(42)致命—授命，犧牲生命。
(43)子產—姓公孫，名僑，字子產，又字子美，鄭國大夫，爲當時卓越的政治家。在鄭簡公、定公兩朝，執政二十二年，使弱小的鄭國，在五霸爭強之際，安穩無事數十年。
(44)稼—種五穀。
(45)圃—種菜蔬。
(46)小人—細民，勞力之人。
(47)情—眞心。
(48)襁—背小孩的布兜。
(49)焉—何。
(50)尙—崇尙。
(51)君子—執政的人。
(52)小人—平民。

【討論】

一、「孝弟」何以是爲「仁」之本？

二、就本課所述說明孝的要點。

三、能否從「11」章找出孔子所謂「義」之涵義？

四、孔子說「仁」，又說「義」，兩者有怎樣的關聯與異同？

近體詩簡介

近體詩，又稱「今體詩」，是和「古體詩」相對待的名詞；包括律詩、絕句、排律（或徘律）三種，各有五、七言之分。五字一句者爲五言，七字一句者爲七言；一首四句者爲絕句，八句者爲律詩，八句以上者爲排律（須偶數句）

律詩四聯八句，前後兩聯不必對仗，中間兩聯三四句、五六句對仗；二四六八句押韻（通常押平聲），首句可押可不押；至於平仄，大致有四項規律可尋：

㈠兩兩互換爲原則—每兩個字一組，平仄互換。例如「││──││─」「──││──│」等。

㈡一、三、五不論，二、四、六分明—每句第二、四、六字的平仄一定要依前項原則，第一、三、五字則可依實際需要而換平仄，以免以形害義。例如「││──│」，可作「⊥│┬─│」使用。

㈢末三字不同聲—每句末三字的平仄不能相同。例如七律首句「──││──│」，若要押平聲韻，末一字改成「─」，變成「──││───」，這就不好，必須依第㈡項原則，把第五字改成「│」，變成「──│││──」。

㈣一、三、五、七句交互起聲—如果第一句是「──││─」，第三句便是「││──│」，第五句又是「──││─」，第七句又是「││──│」。

平仄有所謂「平起」「仄起」之分，那是依第一句的第二個字而定的。（第一個字可變，所以不能作依據。）如首句是「——｜｜——｜」便是「平起」。

絕句不必對仗，且首句不押韻，押在二四句，其平仄規律與律詩同。

排律也有五七言之分，前後兩聯不對仗，其格律與律詩同。

近體詩的醞釀期是在齊、梁之間，一直到唐初的沈佺期、宋之問手裡才完成。其後名家輩出，遂成為唐以後詩體的主流。

一一　唐宋詩選㈠——五絕

【詩選】

㈠竹里館　王　維

獨坐幽篁裡，彈琴復長嘯；深林人不知，明月來相照。

㈡宿建德江　孟浩然

移舟泊煙渚，日暮客愁新。野曠天低樹，江清月近人。

㈢獨坐敬亭山　李　白

衆鳥高飛盡，孤雲獨去閒。相看兩不厭，只有敬亭山。

㈣八陣圖　杜　甫

功蓋三分國，名成八陣圖。江流石不轉，遺恨失吞吳。

㈤送靈澈　劉長卿

蒼蒼竹林寺，杳杳鐘聲晚。荷笠帶斜陽，青山獨歸遠。

㈥秋夜寄邱員外　韋應物

懷君屬秋夜，散步詠涼天。空山松子落，幽人應未眠！

㈦新嫁娘　王　建

三日入廚下，洗手作羹湯；未諳姑食性，先遣小姑嘗。

㈧江雪　柳宗元

千山鳥飛絕，萬徑人蹤滅。孤舟蓑笠翁，獨釣寒江雪。

㈨登樂遊原　李商隱

向晚意不適，驅車登古原。夕陽無限好，只是近黃昏！

㈩遠山　歐陽修

山色無遠近，看山終日行。峰巒隨處改，行客不知名。

㈩㈠南浦　王安石

南浦隨花去，迴舟路已迷。暗香無覓處，日落畫橋西。

㈠竹里館　王維

【作者】

王維，字摩詰，太原祁（今山西祁縣）人。

唐武后大足元年（西元七〇一年），王維生。

玄宗開元四年（西元七一六年），十六歲，作洛陽女兒行。

開元五年（西元七一七年），十七歲，作九月九日憶山東兄弟。

開元七年（西元七一九年），十九歲，參加京兆府試，中了第一名解頭。

開元九年（西元七二一年），二十一歲，進士及第，調爲大樂丞。

開元二十二年（西元七三四年），三十四歲，擢爲右拾遺。

開元二十五年（西元七三七年），三十七歲，充監察御史，奉使出塞。

玄宗天寶七年（西元七四八年），四十八歲，營藍田輞川別墅，好佛守齋，與裴迪往來唱和。

天寶十五年（西元七五六年），五十六歲，安祿山造反，攻陷長安，維來不及逃走，被賊俘獲，祿山素仰他的才華，強迫他出任侍中。曾作凝碧詩，寄託其感慨，亂事平定後，這首詩替他減輕不少罪。

肅宗乾元二年（西元七五九年），五十九歲，轉任尚書右丞。世稱王右丞。

肅宗上元二年（西元七六一年），六十一歲，王維死。

王維是一個多才多藝的藝術家，擅長詩歌、音樂、繪畫，而他的山水畫和田園詩，更有著密切的聯繫，故蘇東坡讚美他「詩中有畫，畫中有詩。」王維是盛唐有名的自然派詩人，所作田園詩稱爲輞川集。另著有王右丞集。

【本文】

竹里館(1)

獨坐幽篁(2)裡，
彈琴復長嘯(3)；
深林人不知，
明月來相照。

【注釋】

⑴竹里館─王維有別墅在輞川，竹里館即別墅中一個有景趣的地方。輞川在今陝西藍田縣西南。
⑵幽篁─幽深的竹林。幽，深；篁，竹林。
⑶長嘯─長聲呼嘯。蹙口成聲曰嘯。

【賞析】

王維竹里館，寫隱居者閒適的情趣。在幽深的竹林中，任由自己「彈琴」、「長嘯」，沒有世人來擾，只有空中的明月相伴；雖身在人間，卻與世隔離，獨與自然爲伍。其中，「幽篁」和「深林」，在明月映照之下，織成一幅夢幻般的美景；而「彈琴」和「長嘯」，又替幽靜之美點上無限生機，也透出了人與自然的高度和諧。

【討論】

一、在幽靜的的林中，王維會發出長嘯，是基於何種心境？
二、同是獨居，有人深以爲苦，有人深得其樂。就此詩而言，王維享受了獨隱的何種樂趣？

㈡宿建德江　孟浩然

【作者】

孟浩然，湖北襄陽人。生於唐武后永昌元年（西元六八九年），死於玄宗開元二十八年（西元七四〇年）。他和王維齊名，爲自然詩人的兩大代表。他四十歲前，受當時隱逸風氣的影響，在鹿門山居住相當長的一段時間。四十歲赴京參加進士考試，未能考取，因作歲暮歸南山詩，有「北闕休上書，南山歸敝盧，不才明主棄，多病故人疏。」的詩句，足見他雖身在草野，卻心懷朝廷。他著有孟浩然集。

【本文】

宿建德江(4)

移舟泊煙渚(5)，
日暮客愁新。
野曠天低樹，
江清月近人。

【注釋】

(4)建德江—建德，縣名，在浙江省，當地有新安江。
(5)煙渚—煙霧籠罩著的小洲。

【賞析】

孟浩然宿建德江，是夜泊江邊，遊子即景生情之作。首兩句塑造一個煙霧繚繞的環境，給遊子一份縹緲茫然的感覺，尤其暮裡萬物歸居之景象，更容易引起旅者的離情別緒。三、四句，寓抒情於寫景，野曠，所以天低於樹，江清，所以月能近人，假使沒有「曠」、「清」二字，「低」、「近」二字便無著落，這就是「詩眼」。而遊子的孤寂，便在「野曠」「江清」中比照出來，故鄉的遙遠，也在「天低」「月近」下襯映出來。

【討論】

一、明明是舊愁，而次句說是「新」，爲什麼呢？

二、末兩句中如何表現遊子的鄉愁？

㈢獨坐敬亭山　李白

【作者】

見第五課。

【本文】

獨坐敬亭山(6)

衆鳥高飛盡，
孤雲獨去閒。

相看兩不厭，
只有敬亭山。

【注釋】

(6)敬亭山－在安徽宣城縣北，一名昭亭山，太白樓遺址尙在。

【賞析】

李白獨坐敬亭山，是一首頗能領略大自然和諧的詩歌。首二句比喻、對比、副詞的運用極佳，蓋俗人之競相求進，有若衆鳥之「高飛」而「盡」，唯作者淡泊如孤雲之「獨去」而「閒」。末二句呈現出詩人和自然所建立的感情，那是往復迴流，融爲一體的狀態。南宋詞人辛棄疾的「我見青山多嫵媚，料青山見我應如是。」與本詩有異曲同工之妙。

【討論】

一、相看兩不厭，如何知敬亭山能看，能不厭？
二、本詩獨坐之趣，與王維竹里館獨坐之趣有何異同？

【附錄】

清平調三首

㈠

雲想衣裳花想容，春風拂檻露華濃。
若非群玉山頭見，會向瑤臺月下逢。

㈡

一枝紅豔露凝香，雲雨巫山枉斷腸。
借問漢宮誰得似，可憐飛燕倚新妝。

㈢

名花傾國兩相歡，長得君王帶笑看。
解釋春風無限恨，沉香亭北倚欄杆。

㈣八陣圖

杜甫

【作者】

杜甫，字子美，湖北襄陽人。（因他的曾祖遷居河南鞏縣，所以又稱鞏人。）

唐睿宗先天元年（西元七一二年），杜甫生。

唐玄宗開元十四年（西元七二六年），十五歲，就能和當時文士詩歌唱和，被嘉許爲漢代的班固和揚雄一般。

開元十九年（西元七三一年），二十歲，他覺得蟄居家園，會埋沒個性和前程，便南遊吳越。以後三、四年間，他到處遊歷，也曾想去日本，但這個夢究竟沒能實現。

開元二十三年（西元七三五年），二十四歲，赴京兆考進士，沒有考取，內心鬱抑，於是放蕩於山東、山西、河南一帶，同李白、高適那一些浪漫詩人往來唱和。這時杜甫的作品，不論就社會的或藝術的觀點看來，都缺乏特色。

天寶四年（西元七四五年）左右，三十四歲。由二十五歲開始，除了偶然回老家外，在長安住了八、九年。這時他並不得志，但細心觀察社會現狀的結果，使他的作品風格有了改變。

天寶十四年（西元七五五年），四十四歲，授河西尉的小官，杜甫辭不赴任，後改爲率府參軍，他的生活依然窮困。這時，他寄養在陝西奉先的幼子餓死了，遭受巨大變故之後，詩人悲天憫人的胸懷，就直接呈現在作品裡頭。如自京赴奉先、麗人行、兵車行等，都是寫於此時。

天寶十五年（西元七五六年），四十五歲，安祿山造反，玄宗逃到四川，肅宗在靈武即位。杜甫原打算去靈武，不料途中陷入賊手，於是留居長安。當地亂離的景象，成爲他的好詩材，如哀王孫、哀江頭、春望等名篇，都是這個時期作的。

肅宗至德二年（西元七五七年），四十六歲，逃抵鳳翔，謁見肅宗，授左拾遺。因房琯兵敗被連累，免官放還鄜州。這年冬天，官軍收復長安，他從鄜州來京，再官左拾遺。

乾元元年（西元七五八年），四十七歲，出任華州司功參軍。曾赴洛陽，將沿途所見，寫成有名的「三吏、三別」。（新安吏、潼關吏、石壕吏、新婚別、無家別、垂老別）

代宗廣德二年（西元七六四年），五十三歲，嚴武擔任劍南東西川節度使，杜甫入嚴武幕下，爲參謀檢校工部員外郎，世稱杜工部。

代宗永泰元年（西元七六五年），五十四歲，嚴武死了，杜甫黯然離蜀東下。先居夔州，後入湘，登衡山。

代宗大曆五年（西元七七〇年），五十九歲，死於湘江船中。

杜甫詩顯示了唐朝由盛而衰的變化過程，所以被稱爲「詩史」，爲當時社會派詩人。他以古體、律詩見長，風格以沉鬱爲主。有杜工部集。

【本文】

八陣圖(7)

功蓋三分國，
名成八陣圖。
江流石不轉，
遺恨失呑吳(8)！

【注釋】

(7)八陣圖——三國時諸葛亮推演兵法所排列的陣勢；這陣勢分爲八門，即天、地、風、雲、飛龍、翔鳥、虎翼、蛇盤，故謂之八陣圖。是用許多碎石堆成的，每堆高約五尺，闊十圍，共有六十四堆。像棋子排列一般，其遺蹟在今四川奉節縣西南。

(8)呑吳—劉備決意替關羽報仇，不聽諸葛亮的苦言相勸，結果被東吳打得大敗而歸，從此蜀漢與東吳結怨，伐魏的宿願也落空了。

【賞析】

杜甫八陣圖，是一首弔古詩。清仇兆鰲說：「江流石不轉，此陣圖之垂名千載。所恨者，呑吳失計，以致三分功業，中遭挫跌耳。」詠史之作往往夾雜議論，此詩重點在末句。其次，就章法而論，末句照應首句，第三句照應第二句，首句、第二句又屬相對，這是絕句中的一格。

(五)送靈澈　劉長卿

【作者】

劉長卿，字子房，河間（今屬河北）人。生年不詳，約死於唐德宗貞元二年（西元七八六年）。他是天寶年間的進士，曾擔任長洲縣尉，因事下獄，兩次遭受貶謫，後移睦州司馬，官終隨州刺史。他的詩歌內容，多寫政治失意之感，也有反映離亂之作，且善於描繪自然景物。長於五言詩，自稱爲「五言長城」。有劉隨州詩集。

【本文】

送靈澈(9)

蒼蒼竹林寺(10)，
杳杳(11)鐘聲晚。
荷笠帶斜陽，
青山獨歸遠。

【注釋】

(9)靈澈—字源澄，姓湯氏，唐會稽人，雲門寺（在浙江紹興縣南雲門山中）僧。
(10)竹林寺—在江蘇鎭江縣城南，爲晉戴顒居宅，捨給曇度立寺。
(11)杳杳—悠遠。

【賞析】

劉長卿送靈澈，描寫劉氏在竹林寺送僧友歸山的情景。懷著離別的惆悵，詩人陪著友人走出竹林寺，越來越遠……若非晚鐘響起，詩人恐怕仍沈浸在別愁中，而無法知覺離寺已遠，友人已去。鐘聲杳杳，廟景蒼蒼，暮色又至，是該回去了！望著投向遠山的友人，心中仍免不了幾分依依！

靈澈曾隱居沃洲山。劉長卿另有「送上人」詩，一題作送「靈澈上人」（見〔附錄〕），其中提到沃洲山。

沃洲山在浙江新昌縣東，相傳晉名僧支遁曾在此放鶴養馬。

【討論】

一、詩中那些情形顯示了詩人對友人的不捨？

二、如果沒有晚鐘，詩人可能會受到那些外物喚醒呢？

【附錄】

送上人　劉長卿

孤雲將野鶴，豈向人間住；
暮見沃洲山，時人已知處。

㈥秋夜寄邱員外　韋應物

【作者】

韋應物，京兆長安（今陝西西安）人。年少時，尚俠武勇，曾任唐玄宗的三衛郎。

唐玄宗開元二十五年（西元七三七年），韋應物生。

代宗永泰元年（西元七六五年），二十九歲，任洛陽丞，京兆府功曹。

代宗大曆十四年（西元七七九年），四十三歲，自鄠縣令除櫟陽令，因病回善福精舍。

德宗建中二年（西元七八一年），四十五歲，任滁州刺史。

德宗貞元五年（西元七八九年），五十三歲，任蘇州刺史，世稱韋蘇州。

德宗貞元八年（西元七九二年）左右，韋應物死。

韋應物詩，以五古見長，內容以寫田園風物為主，受陶詩影響很大。有韋蘇州集。

【本文】

秋夜寄邱員外⑿

懷君屬秋夜，

散步詠涼天。

空山松子落，

幽人⒀應未眠！

【注釋】

⑿邱員外—即邱丹，唐蘇州嘉興人，曾作倉部員外郎，後隱居蘇州臨平山學道，與韋應物相往還。

⒀幽人—幽隱之人，此處指邱員外。

【賞析】

韋應物秋夜寄邱員外，是懷念友人的作品。秋涼時節，正惹人懷思，況在涼夜？詩人無法成眠，至戶外散步吟詠，於是想起山景，想起友人；空山松子落，使秋意轉濃，使人更難入眠。此情此景，那位隱逸的友人，想必也尚未睡吧！

【討論】

一、本詩中，作者是懷友不成眠而去散步，或在散步中才想起友人？

二、「空山松子落」一句，有的本子作「山空松子落」，你看那一種較好呢？

【附錄】

和韋使君秋夜見寄　　邱丹

露滴梧葉鳴，秋風桂花發；
中有學仙侶，吹蕭弄山月。

(七)新嫁娘　　王建

【作者】

王建，字仲初，穎川（今河南許昌）人。約生於唐代宗大曆元年（西元七六六年），死於文宗太和四年（西元八三〇年）左右，他出身寒微，貞元年間考上進士。晚年任陝州司馬，又從軍於塞上。擅長樂府詩。有王司馬集。

【本文】

新嫁娘

三日入廚下，
洗手作羹湯；
未諳⒁姑⒂食性，
先遣小姑嘗。

【注釋】

⒁諳—熟悉、知道。

⒂姑—丈夫的母親叫做「姑」，俗稱「婆婆」。

【賞析】

王建新嫁娘，是寫舊社會中，新過門的媳婦如何去適應新生活的一首詩。這位女子嫁後的第三天，按習俗要下廚房一顯身手，「洗手」表示愼重其事，她希望做得爽利潔淨。但是婆婆的飲食習慣，對新娘子來說，完全不知情，所以巧思慧心的新娘子，想到小姑是婆婆撫養長大的，口味應該和婆婆差不多，先讓小姑嚐嚐自己做的菜，總是比較能符合婆婆食性的。本詩裡出現了一位機靈的新嫁娘，一位天眞的小姑，以及一位口味將被摸熟的婆婆；同時也反映了當時家庭的權威中心，是由媳婦所熬成的婆婆。當然，也有人把這首詩解爲：「我們初入社會，一切情形不大熟悉，也非得先就教於老練的人不可。」應該是一種聯想的結果。

(八)江　雪

柳宗元

【作者】

見第八課。

【本文】

江　雪

千山鳥飛絕，
萬徑人蹤滅(14)。
孤舟蓑笠翁(14)，

獨釣寒江雪。

【注釋】

(16)人蹤滅─沒有人的蹤跡。

(17)蓑笠翁─披著蓑衣，戴著笠帽的漁翁。

【賞析】

柳宗元江雪，是藉著大雪紛飛的山野江上，漁翁獨釣的情景，來表示自己無心仕官，意在自然的心境。本詩大約是作者謫居永州（今湖南零陵）期間的作品，當時作者遭貶抑悶，山水景物，正是治療心靈的良藥。他的眼前呈現著一片雪白，空濛濛的，透過那「絕」字和「滅」字，把天地間的生機和塵俗的干擾都給阻隔了，是那麼荒遠僻靜，這就是作者消極避世的心靈所展現的世界。後面在江雪上出現的漁翁，正是作者的化身，象徵著離世獨立的清高孤傲。在寫景方面，前二句屬遠距離的描寫，後二句則把距離拉近，作者想以遠方的景物，襯托出近物，使江雪上的漁翁更凸出。

【討論】

△試就竹里館、獨坐敬亭山與本詩所記之景，比較三位詩人的心境。

【附錄】

漁歌子

張志和

西塞山前白鷺飛，桃花流水鱖魚肥。
青箬笠，綠蓑衣，斜風細雨不須歸。

㈨登樂遊原

李商隱

【作者】

李商隱，字義山，號玉谿生，懷州河內（今河南沁陽）人。唐憲宗元和七年（西元八一二年）生，宣宗大中十二年（西元八五八年）卒。文宗開成二年（西元八三七年），進士及第，曾任縣尉，秘書郎和東川節度使判官等職，因受牛李黨爭影響，遭受排擠，終身潦倒。所作詠史詩多託古諷諭，意旨深遠；好作「無題」詩，最爲有名。善於律詩絕句，但好用典故，難免有晦澀之病。有李義山詩集。

【本文】

登樂遊原(18)

向晚(19)意不適(20)，
驅車登古原。

夕陽無限好，
只是近黃昏。

【注釋】

⒅樂遊原－地名，在陝西長安縣西南，其地居京城最高處，四望寬敞，京城之內，俯視如指掌。
⒆向晚－傍晚時候。向，接近。
⒇不適－不如意、不愉快。

【賞析】

李商隱登樂遊原，是一首自傷老年的詩。首二句寫登臨的原因，末二句則即景生情，迴應「意不適」。本詩使用簡單的隱喻，卻能引發許多慨嘆。「向晚」二字，雖說是天時，卻也隱含年老之意，實已暗示「意不適」的原因，但作者常不自知。（當然，這地方的老不一定指的是年齡，若看成心態更加合適。）而「意不適」三字，更含有不得志之意。當一個人覺得在各方面慢慢走下坡時，常常會有莫名焦慮，所以第二句用了「驅」字，表面是駕著車子，背面卻隱含著舒解抑悶的急切希求。可是借景舒情情更切，面對無限美好之暮景，也只是徒增老年之感傷而已！就算知道因而「意不適」，又能奈何？

【討論】

△人生的夕陽總會出現，難道就只有李商隱那樣，空呼無奈嗎？

㈩遠　山　　歐陽修

【作者】

歐陽修，字永叔，號六一居士。江西廬陵人。

宋眞宗景德四年（西元一〇〇七年），歐陽修生。

眞宗大中祥符三年（西元一〇一〇年），四歲，父去世，母鄭氏守節教養他。家貧，常以荻畫地學書。

大中祥符九年（西元一〇一六年），十歲，於廢書簏中得韓愈遺稿，傾慕不已。

仁宗天聖八年（西元一〇三〇年），二十四歲，中進士，調西京（洛陽）推官，被留守錢惟演所重視。和留守幕府裡的古文家尹洙、詩人梅堯臣唱和，尹、梅二人後來成爲歐陽修改革文學運動的健將。

景祐元年（西元一〇三四年），二十八歲，回京任館閣校勘，參與編修崇文書目。

景祐三年（西元一〇三六年），三十歲，范仲淹因直言上諫被貶，修上書痛詆諫官，也被貶爲夷陵縣令。

慶曆三年（西元一〇四三年），三十七歲，還京知諫院，拜右正言，並奉命修起居注，知制誥。

慶曆五年（西元一〇四五年），三十九歲，上朋黨論，替韓琦、范仲淹辯護，遭小人誣陷，貶爲滁州刺史。在滁自號醉翁，有名的醉翁亭記就是這時作的。

皇祐元年（西元一〇四九年），四十三歲，知潁州，好當地西湖美景，有采桑子詞十闋，都是歌詠景物之作。

至和元年（西元一〇五四年），四十八歲，擢翰林學士，受命重修唐書。

嘉祐五年（西元一〇六〇年），五十四歲，新唐書修成，拜禮部侍郎，兼侍讀學士。不久升爲樞密副使。

嘉祐六年（西元一〇六一年），五十五歲，參知政事，和韓琦同心輔政，天下清平。

神宗熙寧四年（西元一〇七一年），六十五歲，與王安石政見不合，告老歸隱潁州。

熙寧五年（西元一〇七二年），歐陽修死。

歐陽修是宋代文學改革運動的領導者。又是散文詩詞各方面的大作家。蘇東坡說他是宋朝的韓愈，這是恰當的。以詩歌來說，韓詩險怪，歐詩卻淺明通達。著有歐陽文忠公集。

【本文】

遠　山

山色無遠近，
看山終日行。
峰巒(21)隨處改，
行客(22)不知名。

【注釋】

(21)峰巒—山高而尖起的部分叫峰，尖的小山叫巒。

(22)行客—旅客。

【賞析】

歐陽修遠山，是一首行旅詩，充滿和諧眞樸的氣息，讀了令人不禁曠朗。山色所以沒有遠近之別，是因爲看山的人整天行走的關係；這位喜歡登山涉水的旅者，想來胸中自有丘壑，才一點都不眷留，一山又一山地過去，甚至連山名都不知道。世事多變化，恰如山巒隨處起伏，而人生有如鴻爪踏雪泥，又何必太計較一時之間的事呢？正像看山者一樣，只要心靈和大自然遙相契合，何必要戀著那一個山頭呢？

(十)南　浦　　王安石

【作者】

王安石，字介甫，號半山，江西臨川人。

宋眞宗天禧五年（西元一〇二一年），王安石生。

仁宗慶曆二年（西元一〇四二年），二十二歲，進士及第，任淮南判官。

慶曆七年（西元一〇四七年），二十七歲，知鄞縣，政績可觀。

仁宗嘉祐五年（西元一〇六〇年），四十歲，奉召入爲度支判官，上萬言書，認爲當時天下財力日漸窮困，風俗日漸衰壞，在於不知法度，不法先王之故。這是他日後變法的張本。

神宗熙寧二年（西元一〇六九年），四十九歲，參知政事，與陳升之同領制置三司條例司。爲變法的計劃階段。同年，頒行均輸法、青苗法。

熙寧三年（西元一〇七〇年），五十歲，立保甲法，行募役法。

熙寧四年（西元一〇七一年），五十一歲，同中書門下平章事，更定貢舉法，以經義策論取士，立太學三舍法。

熙寧五年（西元一〇七二年），五十二歲，行市易法，保馬法，方田均稅法。因反對聲浪沸騰，自求去位，上不許。

熙寧八年（西元一〇七五年），五十五歲，周官新義完成。

神宗元豐元年（西元一〇七八年），五十八歲，以集禧觀使身分居鍾山。以後常留鍾山，直到病死。

哲宗元祐元年（西元一〇八六年），六十六歲，王安石死。

王安石於唐代詩人最尊杜甫、韓愈，於宋代最推崇歐陽修。他早期的詩歌，有的格調高古，有的豪放雄奇；但晚年住在鍾山，每天與山水田園爲友，詩風由學韓變爲學杜，詩律趨於謹嚴細密，風格也進入閑適平淡的境界。著有臨川集，編有唐百家詩選。

【本文】

南　浦(23)

南浦隨花去，
迴舟(24)路已迷。
暗香無覓處，
日落畫橋(25)西。

【注釋】

(23)南浦——水的南邊。水邊叫浦。
(24)迴舟——將船掉過頭來。
(25)畫橋——像圖畫一般美麗的橋樑。

【賞析】

王安石南浦，是一首閒適詩。南浦開滿了各色花朵，駕著一葉扁舟，沿著水流去探訪春的消息，陶醉在這一片美好的天地裡，竟迷了歸路。此時，天色已晚，夕陽斜照畫橋西邊，暗香飄來，欲覓無處，又是一個綺麗的夢境。這是晚期的王詩，其藝術手法已臻化境了。

一二　唐宋詩選(二)—七絕

㈠芙蓉樓送辛漸　王昌齡

寒雨連江夜入吳，平明送客楚山孤。洛陽親友如相問，一片冰心在玉壺。

㈡黃鶴樓送孟浩然之廣陵　李白

故人西辭黃鶴樓，煙花三月下揚州。孤帆遠影碧山盡，唯見長江天際流！

㈢江南逢李龜年　杜甫

岐王宅裡尋常見，崔九堂前幾度聞。正是江南好風景，落花時節又逢君。

㈣涼州詞　王翰

葡萄美酒夜光杯，欲飲琵琶馬上催。醉臥沙場君莫笑，古來征戰幾人回？

㈤逢入京使　岑參

故園東望路漫漫，雙袖龍鍾淚不乾。馬上相逢無紙筆，憑君傳語報平安！

㈥楓橋夜泊　張繼

月落烏啼霜滿天，江楓漁火對愁眠！姑蘇城外寒山寺，夜半鐘聲到客船。

㈦烏衣巷　劉禹錫

朱雀橋邊野草花，烏衣巷口夕陽斜。舊時王謝堂前燕，飛入尋常百姓家

(八)近試上張水部　朱慶餘

洞房昨夜停紅燭，待曉堂前拜舅姑。妝罷低聲問夫婿，畫眉深淺入時無？

(九)秋夕　杜牧

銀燭秋光冷畫屏，輕羅小扇撲流螢。天階夜色涼如水，坐看牽牛織女星。

(十)書李世南所畫秋景二首之一　蘇軾

野水參差落漲痕，疏林欹倒出霜根。扁舟一櫂歸何處？家在江南黃葉村。

(十一)田家雜興　范成大

梅子金黃杏子肥，麥花雪白菜花稀。日長籬落無人過，惟有蜻蜓蛺蝶飛。

(一)芙蓉樓(1)送辛漸(2)　王昌齡

【作者】

王昌齡，字少伯，京兆長安（今陝西西安）人。生年不詳。登開元十五年（西元七二七年）進士第，補祕書郎；二十二年（西元七三四年）中宏詞科，調汜水尉，遷江寧丞。晚節狂放，貶爲龍標尉。因世亂還鄉，路經亳州，被刺史閭丘曉所殺，時約肅宗至德元年（西元七五六年）。

昌齡擅長七絕，清人沈德潛評曰：「龍標絕句深情幽怨，意旨微茫，令人測之無端，玩之無盡。」（唐詩別裁）他的邊塞詩氣勢雄渾，格調高昂；也有宮怨之作，手法較細密，感情也充滿哀怨。原有集，已散佚，明人輯有王昌齡集。

【本文】

寒雨連江夜入吳(3)，
平明(4)送客楚山孤(5)。
洛陽親友如相問，
一片冰心在玉壺(6)。

【注釋】

(1)芙蓉樓—原名西北樓，在鎮江府城上西北角，登臨可以俯瞰長江，遙望江北。
(2)辛漸—人名，是王昌齡的朋友，將北返洛陽。
(3)吳—原爲國名；後漢時，在今江蘇省的蘇州、松州、常州、鎮江，及南京西部一帶設置吳郡，後代沿襲之。這詩裡芙蓉樓，就在鎮江城上，屬吳郡。
(4)平明—天剛明亮的時候。
(5)楚山孤—楚，原爲國名，後指地名，在今兩湖、兩江及河南南部一帶。這裡是說楚地的山勢不相連結，顯得孤零零的樣子。
(6)玉壺—玉製的壺。比喻高潔。

【賞析】

王昌齡的芙蓉樓送辛漸，以自己高潔的操守爲旨，比一般的送別詩含斂有情趣。當迷濛的煙雨，籠罩著吳地江天，那無邊無際的悵惘也油然而生。「連」、「入」二字，藉著雨勢連綿，以及江雨悄然而來的情景，寫出詩人離情的泉湧與縈繞、遂有徹夜不眠之苦。等到天明，辛漸即將登舟北歸，詩人遙望江北的遠山，想到友人離去後，自己便將像楚山一般的孤寂，能不哀傷？

離別之際，詩人託辛漸給洛陽親友帶回去的，不是世俗的平安或是離思，而是自己依然冰清玉潔。說是帶給洛陽的親友，事實上也是向辛漸表白；以這樣一顆澄空見底、清澈無瑕的冰心送別友人，比任何相思的話語更見深情。

(二)黃鶴樓(7)送孟浩然(8)之廣陵(9)

李　白

【作者】

見第五課。

【本文】

故人西辭黃鶴樓，

煙花(10)三月下揚州。

孤帆遠影碧山盡⑾。
唯見長江天際流！

【注釋】

⑺黃鶴樓—在今湖北武昌縣西南，傳說從前費文禕成仙時，常跨乘黃鶴，到這樓上停憩，所以稱做黃鶴樓。
⑻孟浩然—唐朝詩人，詳見五絕作者欄。
⑼廣陵—唐郡名，故城在今江蘇江都縣東北。
⑽煙花—春天百花盛開時，田野間常有迷濛的煙霧，古時稱「煙花」。
⑾碧山盡—是說這帆影到了青山那邊，便消失看不見了。

【討論】

此詩主要是藉著詩人的凝望，來顯示離情的深切。

煙花三月，正是良辰美景，故人相伴，本當共遊，卻要離別，怎不哀傷？滿懷惆悵，不勝依依，心隨望眼而逝向揚州，若非碧山阻斷了孤帆遠影，怎會發現無盡的江流呢？既然孤帆帶不走這一顆心，那麼江流能否浮著這片思情，使它常伴孤帆，使故人及詩人不再孤寂呢？能否藉著這條江流，使彼此常相連繫呢？失去了帆影，詩人卻望得更遠、更癡。

此詩妙在不著半句形容字眼，僅憑具體的景象，而且僅僅是詩人遠望的景象，便使離別的惆悵，緊緊罩住讀者，越來越濃。

【討論】

△同是送別，此詩與前首詩在情景上及手法上有何不同？

㈢江南逢李龜年⑿　杜甫

【作者】

杜甫，見五絕作者欄。

【本文】

岐王⒀宅裡尋常見，
崔九⒁堂前幾度聞。
正是江南好風景，
落花時節⒂又逢君。

【注釋】

⑿李龜年—唐玄宗時樂工，擅長歌唱，備受寵遇，曾在長安大起第宅。其後流落江南，每逢良辰佳景，常在人前歌數闋，座中聞之莫不掩泣。

⒀岐王—名範，唐睿宗的四子，玄宗的弟弟。喜歡讀書，書法也很好。

⒁崔九—唐人常以大排行（按堂兄弟年齡大小排列）稱呼，崔九是姓崔排行第九的人。這裡指的是崔湜的弟弟，原名叫滌，曾任秘書監，出入宮禁，得到玄宗賞識，後賜名澄。

⒂落花時節—花落的季節，暗喻流落失意。

【賞析】

杜甫江南逢李龜年，採對比手法，前二句寫往日在京城的繁華盛事，後二句寫目前在江南的景象，隱隱約約當中，顯示出失意的傷感，以及人生之變幻無常。

李龜年當玄宗的樂工時，在京師極富盛名，王孫權貴，無不經常延請到府演唱。杜甫是一位才華出衆的文人，早年曾受到岐王李範、秘書監崔滌的禮遇，所以在岐王府、崔九家中常碰見李龜年。「尋常見」，「幾度聞」，既表示李龜年之盛景，亦表示杜甫之地位。今雙雙流落江南，面對處處好風景，固然憶起往日佳遇，而感觸萬端，就是落花時節，竟也避不過，再度和他相逢，平添幾許悵茫。講的似是久別重逢，卻含藏著絃外之音。

㈣涼州詞⒃

王翰

【作者】

王翰，字子羽，晉陽（今山西太原）人，生卒年不詳。唐睿宗景雲年間進士，官仙州別駕。任俠使酒，恃才不羈，直言喜諫，因事貶道州司馬。原有集，已失傳。

【本文】

葡萄美酒夜光杯(17)，
欲飲琵琶馬上催(18)。
醉臥沙場(19)君莫笑，
古來征戰幾人回？

【注釋】

(16)涼州詞—涼州，在今甘肅武威；一說在甘肅伏羌縣附近。涼州詞，也稱做涼州破，是樂曲名。
(17)夜光杯—用白玉製成的酒杯，因爲在夜間能發光，所以叫做夜光杯。
(18)欲飲……催—才要飲酒，就聽見從馬上傳來琵琶聲，在催人出發。
(19)沙場—塞外平沙曠野，所以稱沙場。這裡指戰場。

【賞析】

王翰涼州詞是刻劃邊塞征夫心理的詩，與一般邊塞詩偏重鄉思者不同。作爲一個征夫，生命毫無保障，每次出戰，倖存者沒有幾人，於是一方面珍惜短暫的生存，及時行樂，即使出發在即，仍不忘飲宴取樂，而且飲的是美酒，用的是玉杯；另一方面則又基於一股無奈，而曠達開朗，儘管已面對生死關頭，還拿得起、喝得下。可是，一旦琶音響起，卻又毫不猶豫，毅然前往爭取微渺的生存機會；有的是基於無奈的曠朗，有的則帶著酣酒的壯志，只不知，是否有人懷著慷慨的豪情？

(五)逢入京使　岑參

【作者】

岑參，河南南陽人。約生於唐玄宗開元八年（西元七二〇年），死於代宗大曆五年（西元七七〇年）左右。天寶三年（西元七四四年），登進士第，授右內率府兵曹參軍。後轉任右威衛錄事參軍、安西節度制官。天寶十五年（西元七五六年），官大理評事，攝監察御史，領伊西北庭度支副史，佐北庭都護伊西節度使封常清戎幕。以後雖曾回朝任職，但大半歲月均在邊塞度過。歷任虢州長史、關西節度判官、嘉州刺史，世稱岑嘉州。晚年入蜀依杜鴻漸，即死於蜀。

岑參早年曾多處隱居，所以集中尚存有部份自然詩歌，風格較接近陶詩。他壯年出仕，又久居邊塞，所以採七言歌行體裁，詠當地雄偉的景物和戰場上的情形，完成未曾有過的險怪雄奇的風格，在我國的詩歌史上大放異彩。與高適齊名，並稱岑、高。有岑嘉州詩集。

【本文】

故園東望路漫漫⒇，
雙袖龍鍾(21)淚不乾。
馬上相逢無紙筆，
憑君傳語(22)報平安！

【注釋】

⒇漫漫—路途遙遠。
(21)龍鍾—本爲竹名。竹的枝葉搖曳不定，如老年人兩手抖動不停，所以用來比喻年老的神態。
(22)傳語—將話傳達給對方，俗稱口信。

【賞析】

岑參逢入京使，寫一位身在西域的老人激烈思鄉的情景。

居身塞外，即使是年輕人，也難免思鄉之苦，何況是龍鍾的老人？難怪他明知路途漫漫，仍要東望故園，而淚流不止了！正傷心際，忽逢入京使者，給他帶來一陣意外的喜悅，奈何相逢在馬上，無紙筆可用，而自己也沒想到可能遇到有人回京，事先作準備，只好請他帶個口信回去。這突來的喜悅，一時之間把前兩句的哀傷都掩掉了，我們也由此更能了解老人的急切，但是，老人原本趨於平緩的情緒，卻再度激起浪潮，不知又要使老人加深多少哀愁。

【討論】

△此詩與前一首詩都是邊塞詩，兩者所描繪的情境有何不同？

㈥楓橋(23)夜泊　　張繼

【作者】

張繼，字懿孫，河南南陽人，生卒年不詳。天寶年間登進士第，曾任檢校祠部員外郎，洪州鹽鐵判官。其詩多屬於登臨記行之作，不事雕琢。有張祠部詩集。

【本文】

月落烏啼(24)霜滿天，
江楓漁火對愁眠！
姑蘇(25)城外寒山寺(26)，
夜半鐘聲到客船。

【注釋】

(23)楓橋—地名。在今江蘇吳縣閶門外西十里，寒山寺即在其地。

(24)月落烏啼—月落之時，由於光度的變化，烏鴉會群起鳴叫。

(25)姑蘇—本為山名，在今江蘇吳縣西南。山上有一座姑蘇臺，相傳為吳王夫差所建，又叫胥臺。隋時，把這山名做了州名，所以後來稱蘇州地方，叫做姑蘇。

(26)寒山寺—在今吳縣城外楓橋地方，相傳唐代的寒山、拾得二位詩僧曾住在這個寺裡，所以稱做寒山寺。

【賞析】

張繼楓橋夜泊，敘述一位旅客夜泊江邊，因景物撩起愁思而難以入眠。通篇只是平舖直敘地記下所見所聞的具體事物，似若平淡無奇，卻把「愁」意襯得更濃。

秋夜行舟夠寂寞了，好不容易到達泊船處，卻已是月落烏啼，夜深人靜時候，寒霜滿天，好不淒涼。天光既失，霜霧瀰漫，觸目所及，只有江楓漁火可以相伴，卻又乖隔相遠，無以慰藉，用一「對」字，把旅人的孤獨全盤托出。而「愁眠」二字，更令人不忍卒讀，因為旅人是想睡的，卻由於思愁而不能成眠，越不能成眠，越需要睡；越想睡，越不能成眠。只見陣陣的睡意，一一化作思愁，越來越濃。

正在此際，耳中又傳來寒山寺的半夜鐘。這樣的鐘聲，對某些人或許是種溫馨，所以它不知所止，任意而往，故詩人用一「到」字。沒想到船上竟是位掙扎於「愁」「眠」中的旅人，反而添加了不少傷感。

(七)烏衣巷(27)

劉禹錫

【作者】

劉禹錫，字夢得，洛陽人，自言系出中山（今河北境內）。生於唐代宗大曆七年（西元七七二年），死於武宗會昌二年（西元八四二年）。貞元九年（西元七九三年）進士，登博學宏詞科。授監察御史，因參加王叔文集團，坐貶連州刺史，途中又貶朗州司馬。十餘年後，奉召回京，又因玄都觀看花等詩有譏刺執政之嫌，再度外放。會昌初，在裴度力薦之下，任太子賓客，加檢校禮部尚書，世稱劉賓客。其詩平易清新，與白居易齊名。他的竹枝詞、柳枝詞、插田歌等組詩，富有民歌特色，爲唐詩中別開生面的作品。有劉夢得文集。

【本文】

朱雀橋(28)邊野草花，
烏衣巷口夕陽斜。
舊時王謝(29)堂前燕，
飛入尋常百姓家！

【注釋】

(27)烏衣巷－在今江蘇江寧縣內。東晉時，王導、謝安等達貴均住在此地，因爲他們的子弟都穿烏衣，所以稱做烏衣巷。

(28)朱雀橋－原稱朱雀桁（ㄏㄤˊ），在今江寧縣南。是六朝時正南門外之大橋。謝安曾在橋上建造重樓，上面裝飾著兩隻銅雀。

(29)王謝－王導、謝安，都是東晉時的名相。這裡指的是東晉時代的貴族而言。

【賞析】

劉禹錫烏衣巷，是一首撫今弔古的詩。

起首兩句相對，妙在字面上湊巧，朱雀橋和烏衣巷，不但令人生出對仗的美感，還喚起了有關歷史的聯想；而「野草花」和「夕陽斜」，則象徵著往日繁華已不再。接著作者把注意力轉向烏衣巷上空的歸燕，讓人們意識到，儘管人事全非，那烏衣巷已經住了普通百姓，但景物依舊，燕子仍然夕來朝往，而無視於歷史的轉移。

透過具體事物的對比，作者不但對於今昔的變化，發出滄海桑田的感慨，也對於生命的價值，作了莫奈的暗示。

(八)近試(30)上張水部(31)

朱慶餘

【作者】

朱慶餘，名可久，閩中（今福建）人，一說越州（今浙江紹興）人，生卒年不詳。唐敬宗寶曆年間進士，官秘書省校書郎。其詩辭意清新，刻畫細緻，被張籍所賞識。有朱慶餘詩集。

【本文】

洞房昨夜停紅燭(32)，
待曉堂前拜舅姑(33)。
妝罷低聲問夫婿，
畫眉(34)深淺入時無(35)？

【注釋】

(30)近試—將近考期。
(31)張水部—即張籍；這時他做水部郎中，所以稱張水部。
(32)停紅燭—停，擺設、停放；紅燭，也叫花燭。
(33)舅姑—丈夫的父親叫舅，母親叫姑，俗稱公婆。
(34)畫眉—古時婦女愛美，用鉛或青黛把眉毛描成細且長，並作彎形。漢張敞曾用彩筆爲妻畫眉，所以後來稱夫妻恩愛做「畫眉之樂」。
(35)入時無—是否合著流行的式樣？

【賞析】

朱慶餘近試上張水部，一題作「閨意獻張水部」，藉著新過門媳婦拜見公婆前的心情，來表達應試士子的戒慎恐懼。「洞房昨夜停紅燭，待曉堂前拜舅姑」，比喻自己乃應試之身，即將接受考官的評選。「妝罷」指寫了這首詩；「夫婿」比張籍；「畫眉深淺」比喻文章的意境、風格、技巧等；「入時無」，問他能否合乎考官之意；而「低聲問」三字，則表示作者對張籍的尊敬。後來張籍答他一首詩：「越女新妝出鏡心，自知明艷更沈吟；齊紈未足時人貴，一曲菱歌敵萬金。」於是朱慶餘的詩逐漸有名。

全詩把新娘子的神情刻畫得入木三分，即使當成純粹的閨情詩來看，也相當活潑有趣，含意也眞摯深切。

(九)秋　夕　　杜　牧

【作者】

杜牧，字牧之，號樊川，京兆萬年（今陝西西安）人。

唐德宗貞元十九年（西元八〇三年），杜牧生。其祖父杜佑，在德宗、憲宗朝兩度爲相，且撰有通典。

文宗太和二年（西元八二八年），二十六歲，登進士第，時人稱爲小杜，以別於杜甫。再中賢良方正科，授弘文館校書郎。

文宗太和三年（西元八二九年），二十七歲，應江西觀察使沈傳師之辟，任江西團練巡官，試大理評事。

牧又爲牛僧儒淮南節度府掌書記。後歷任監察御史，黃、池、睦、湖四州刺史，入爲司勛員外郎，官終中書舍人。死於宣宗大中六年（西元八五二年）。

牧內懷經濟之略，外騁豪宕之才，但因當時藩鎭氣燄高張，朝廷也舉棋不定，其抱負終不能實現。牧爲人倜儻風流，有不少韻事流佈世間。他擅長七言律絕，七律尤其和杜甫晚年詩風相似。詩文中多指陳時政之作。寫景抒情的小詩，多清麗生動，與李商隱同爲晚唐唯美文學的健將。有樊川文集。

【本文】

銀燭秋光(36)冷畫屏(37)，
輕羅小扇(38)撲流螢。
天階(39)夜色涼如水，
坐看牽牛織女(40)星。

【注釋】

(36)銀燭秋光－潔白的燭光在秋夜發出寒光。
(37)畫屏－繪有圖畫的屏風。

(38)輕羅小扇－細薄的紈羅製成的小團扇。
(39)天階－天井的石階上。
(40)牽牛織女－牽牛星，在天河西面；織女星，在天河東面，俗傳每年七月七日相會。

【賞析】

杜牧秋夕，藉著宮女秋夜納涼的情景，描寫失意宮女的孤獨和淒涼。

前二句，已經把深宮生活描繪出來。在一個秋夜，潔白微弱的燭光，給屏風上的圖畫添了幾許暗淡幽冷的色調。這時，一位孤單的宮女，正用小扇撲打著飛來飛去的螢火蟲，顯得那麼淒涼又無聊，多希望君王的臨幸啊！天井的石階冰涼如水，夜已深沈，寒氣襲人，該進屋睡覺了，但宮女依舊坐在石階上，仰視天河的牽牛星和織女星，這古老的傳說，觸動她的心靈，使她想起自己的不幸，也勾起了她對眞摯愛情的嚮往。本詩不用任何抒情的字句，已把宮女的哀怨和期望交織的感情呈現出來。

(十)書李世南(41)所畫秋景二首之一

【作者】

蘇軾，字子瞻，四川眉山人。

宋仁宗景祐三年（西元一〇三六年），蘇軾生。父洵，母程氏。

宋仁宗慶曆五年（西元一〇四六年），十一歲，程氏親自教他讀書，經常問他古今成敗之理，而能說出要點。有一次，程氏讀後漢書至范滂傳時，慨然長嘆，軾就說自己要是當范滂，母親答不答應？程氏非常贊許他。

宋仁宗嘉祐二年（西元一〇五七年），二十二歲，參加禮部考試，主考歐陽修擢置進士第二，後以春秋對策列第一。是年四月母逝世，服喪三年。

宋仁宗嘉祐四年（西元一〇五九年），二十四歲，授河南福昌縣主簿，後調鳳翔府判官。

宋英宗治平二年（西元一〇六五年），三十歲，召入京直史館。

宋英宗治平三年（西元一〇六六年），三十一歲，父洵病卒，扶柩歸葬。

宋神宗熙寧四年（西元一〇七一年），三十六歲，王安石創行新法，軾上書言不便，與安石意見相左，遂請外調，作杭州通判三年。其後改知密州，再徙徐州而湖州。

宋神宗元豐二年（西元一〇七九年），四十四歲，言事之官拾取他的詩語，以為訕謗，逮赴臺獄，但是經過蒐求證據的結果，久未定讞。是年十二月二十九日，神宗特命以黃州團練副使安置他。在黃州五年，試築室於黃州的東坡，以讀書、作詩、遊覽名勝，結交方外自遣，自號東坡居士。

宋神宗元豐八年（西元一〇八五年），五十歲，奉旨放還，定居常州。神宗崩，哲宗立，司馬光拜相。軾復起，歷官起居舍人、翰林學士、知制誥。

宋哲宗元祐四年（西元一〇八九年），五十四歲，以龍圖閣學士，知杭州。在杭始築蘇堤。

宋哲宗元祐七年（西元一〇九二年），五十七歲，召還，歷兵部尚書，禮部尚書、兼端明殿翰林、侍讀二學士。

宋哲宗紹聖元年（西元一〇九四年），五十九歲，章惇拜相，復行新法，元祐大臣都遭斥逐，軾被貶寧遠軍節度副使，惠州安置。居三年，又貶瓊州別駕，昌化安置。

宋徽宗建中靖國元年（西元一一〇一年），六十六歲，逢大赦北還，復朝奉郎，提舉成都玉局觀，是年卒於常州，謚文忠。

蘇軾是一位多才多藝的人，他集策論、詩詞、書法、繪畫、圍棋……各方面名家於一身。他不但從事於創作，又是一個理論家，論文主達意，論詩主妙遠，論詞主曠達。更難得的是，他具有一付超逸不凡，忘懷得失的胸襟，所以能特立獨行，不論是器識、議論、文章、政事，都有傑出的表現。他的著作有易、書傳、論語說、唐書辨疑、東坡全集、仇池筆記、東坡志林等。

【本文】

野水參差落漲痕，
疏林欹(41)倒出霜根(42)。
扁舟(43)一櫂(44)歸何處？
家在江南黃葉村。

【注釋】

(41)李世南—北宋畫家，生平不詳。
(42)疏……根—欹，音ㄑㄧ，傾斜。霜根，白色的根。

(43)扁舟—扁，音ㄆㄧㄢ；小船叫扁舟。

(44)櫂—音ㄓㄠˋ，搖船用的櫓；也可以當船的單位。

【賞析】

蘇軾書李世南所畫秋景二首之一，是一首題畫詩。詩畫合流，在我國起源很早，雖然確切的時代不可考，但是東坡居士稱道王維的名句「詩中有畫，畫中有詩」，卻流傳久遠。

細看這首題畫詩，作者用短短二十八個字，把畫家筆下的秋景寫得栩栩如生。畫面上有著清淺的秋水，岸邊還留有水漲水落的痕跡；疏林有斜倒的樹木，露出白色的根部，可謂觀察入微，刻畫細膩。遠處有著一葉扁舟，不知歸向何處？原來是在楓葉處處的江南地方。作者把繪畫者的筆觸、色調、意境都掌握得很好，可見作者對畫也很內行。

(十一)田家雜興　范成大

【作者】

范成大，字致能，吳郡人。生於宋欽宗靖康元年（西元一一二六年），死於宋光宗紹熙四年（西元一一九三年）。晚年所居石湖別墅，在太湖邊，因自號石湖居士。他是高宗紹興二十四年（西元一一五五年）的進士，累官吏部郎，禮部員外郎，兼崇政殿說書。

孝宗時，奉命使金，在金廷上詞氣慷慨，替南宋爭取最大的利益，幸不辱命而還，遂除中書舍人。

不久遷四川制置使，在四川期間，悉心發掘羅致人才；且能用其所長，不拘小節，那些表現傑出的人才，特別向朝廷推薦，使得四川當地的讀書人十分佩服。

成大返京後，拜參知政事，加大學士，是一個官品極高的人。由於南宋偏安之局已定，力主恢復的有志之士，已多心有餘而力不足，於是慷慨之音漸隱，高蹈之風日熾。許多士大夫在功成名就之後，走的是歌詠湖山，寄情詩酒的路線，成大就是這類人物的典型，所以他詩歌取材，以田園山水爲主。有范石湖全集。

【本文】

梅子金黃杏子肥，
麥花雪白菜花稀。
日長籬落無人過，
惟有蜻蜓蛺蝶飛。

【注釋】

(45)蛺蝶——蝶類的總名；一說蝶的一種，翅赤黃色，有黑紋。

【賞析】

范成大田家雜興，共有六十首，這是其中的一首。作者對農村的生活，曾靜心觀察體會過，所以筆下的農村自然活潑，清新有味。整首詩都是最尋常不過的事物，但讀後卻饒親切感和餘味。梅子、杏子成熟，正當陰曆四、五月間，這時只見雪白的麥花，和稀落的菜花迎風飄蕩，好一幅寧靜的農村畫。由於日長的緣故，加上地方偏僻，過往的行人很少，只見蜻蜓、蝴蝶到處飛舞。作者隨意寫來，卻把寧靜的鄉下，裝點得幽美而富有活力。

一三　新詩選㈠

【說明】

新文學與舊文學，除了語法不同以外，體式也有所差異，尤其是「新詩」方面，更以擺脫傳統的格律束縛爲主要方向。可是舊的「解放」了，新的又將如何呢？民國八年，胡適之在「談新詩」一文中，對新詩的聲、韻、音節等問題，曾經有精闢的說明。然而，當時作新詩的人似乎沒有很留意這些見解，仍以「除舊」爲主，而形成所謂「自由派」的詩風。這種風氣，一直到民國十二年，聞一多、徐志摩等人組織「新月社」，提倡「格律詩」，才有所轉變。

這一課選的詩，即是此一時期「自由派」的詩。其中，康白情的詩以活潑自然有名；俞平伯則以舊詩底子融入新詩，而長於寫景。

㈠乾燥

康白情

【作者】

康白情，字洪章，四川省安岳縣人。

清德宗光緒二十二年（西元一八九六年）生。

民國五年（西元一九一六年），二十一歲，考進「北京大學」。

民國七年（西元一九一八年），二十三歲，與同學羅家倫、傅斯年等組織「新潮社」。

民國八年（西元一九一九年），二十四歲，元月起，參與「新潮」月刊的編印工作，繼「新青年」雜誌之後，公開提倡新文學。七月，參加「少年中國學會」，擴大其提倡新文學的活動。

民國九年（西元一九二〇年），二十五歲，「北京大學」畢業。

民國十一年（西元一九二二年），二十七歲，出版新詩集「草兒」。（後來分成「草兒在前」、「河上」二集，分別在民國十二年、十三年印行。）

民國十二年（西元一九二三年），二十九歲，離開文壇，開始寫舊詩。

康白情的詩活潑自然，在北大期間，常在刊物上發表作品，頗得胡適賞識。他曾寫了一篇「新詩底我見」，對於新詩的定義、功用、要素、作法，以及詩人應有的修養，提出了精要的見解。（參考「附錄」）

【題解】

「乾燥」是康白情在民國九年所寫的，藉著靜物倚著的（杖兒、壺兒、凳兒），動植物（謳鳥、李花、戀蜂），人兒（澆油菜的，白牛背上的、採桑葉的）的冷漠無情，表現了感情世界的「乾燥」。

【本文】

乾燥

一

晴著；
風著；
杖兒，壺兒，凳兒倚著。
但他們卻只無情地對著我。

二

鳥歌謳著；
李花開著；
兩兩的蜂兒戀著。

但他們卻只無情地對著我。

三

油菜澆著；
白牛底背上騎著。
纔黃的桑葉兒採著。
但他們卻只無情地對著我。

二月二十四日，上海

㈡暮

俞平伯

【作者】

俞平伯，原名銘衡，浙江德清縣人。清德宗光緒二十五年（西元一八九九年）生於書香世家——曾祖俞樾為清代大學者，以「群經平議」「諸子平議」為士林所推崇。父親俞階青是當時詞人、經師。新文學運動期間，俞平伯從事於新詩之創作。「北京大學」文科畢業後，先後在「燕京大學」、「北京大學」、「清華大學」任教，散文及詩詞都相當有名。後來又致力於「紅樓夢」之研究，與胡適先生共同激起「紅學」的潮流。

民國四十三年（西元一九五四年），五十六歲，在「新建設」雜誌發表「紅樓夢簡論」，遭中共「中央政治局」所支持的李希凡、藍翎等人—「圍剿」—以馬克思主義觀點來批判俞平伯的紅學。民國五十二年（西元一九六三年），六十五歲，發表「紅樓夢中關於十二金釵的描寫」，又受到批判。

俞氏生長於書香世家，舊詩底子相當深厚，做白話詩時，頗能把舊詩的音節美融進去。同時，又因爲他生長在杭州西湖邊，所以擅於寫景，純眞清新。

他曾發表「詩底進化的還原論」一文，認爲「平民化」是詩的主要質素，只有去除後世加上去的貴族色彩，「還原」於早期的本色，才能使詩「進化」——脫離脂粉堆，傳達人間「普遍的」眞情，結合人際的正當關係。

俞平伯先後出版的詩集有「冬夜」「西還」「憶」三部。

【題解】

這篇「暮」雖是抒情的作品，卻仍不脫其描寫景物的特色。

首先，經由晚鐘的召喚，把山水的黯淡呈現出來，讓人們留意到暮色已濃。而後，與一般人不同的，他述寫殘霞映湖的可愛，數說夕陽的「幸福」，以煙雲的伴遮，顯示大地的溫馨，而不是感傷夕陽西垂，萬物蕭然。只爲了他要把自己的困倦孤寂，在對比中托出來。同樣是「暮」，「人」的際遇反不如「物」，眞可歎啊！

【本文】

敲罷了三聲晚鐘，
把銀的波底容，
黛的山底色，
都銷融得黯淡了，
在這冷冷的清梵音中。

暗雲層疊，
明霞賸有一縷，
但湖已染上金色了。
一縷的霞，可愛哪！

更可愛的，只這一縷哪！

太陽倦了，
自有暮雲遮著；
山倦了，
自有暮煙凝著；
人倦了呢？
我倦了呢？

【附錄】

新詩底我見

一個科學家，他並不以嫻於科學史，科學通論，和科學方法論等等見稱，而貴能具體的發現幾個科學上底事實或眞理。文學家也是這樣：不僅在能批評，而在能創造。有些鄙薄批評的說，做文學家不成功就去做批評家，其至於說，批評底書是教書匠看的，雖屬偏激之論，也足見空論不足尙了。即如這篇所要說的，都是些「甚麼是甚麼」「爲甚麼」或「怎麼樣」，僅足以給我們一些抽象的觀念，而不能直接助我們產生眞正的作品；能直接助我們的，還是要「甚麼」。所以我以爲與其研究關於作品底論，寧肯觀摩古今眞正的作品，而與其觀摩別人底作品，又寧肯自己去創造。新詩底精神端在創造。我願世間的天才，努力探尋宇宙底奧蘊，創造成些新詩，努力修養，創造自己成一個新詩人！

「要煮清茶，
須親到山頭找源泉去。」

一

劈頭一個問題，詩究竟是甚麼？

懷疑是不中用的，這不妨姑且獨斷的說：在文學上，把情緒的想像的意境，音樂的刻繪的寫出來，這種的作品，就叫做詩。

那麼都是詩了，怎麼又有新詩呢？

新詩所以別於舊詩而言。舊詩大體遵格律，拘音韻，講雕琢，尙典雅。新詩反之，自由成章而沒有一定的格律，切自然的音節而不必拘音韻，貴質樸而不講雕琢，以白話入行而不尙典雅。新詩破除一切桎梏人性底陳套，只求其無悖詩精神罷了。

那麼詩和散文沒有分別了？

不然，有詩的散文，也有散文的詩。詩和散文，本沒有甚麼形式的分別。不過主情爲詩底特質。音節也是表現於詩裡的多。詩大概起源於遊戲衝動，而散文卻大概起源於實用衝動。兩個底起源稍異，因而作品裡所寓底感情不同，因而其所流露節奏也有差別，因而人一見就可以辨其爲散文爲詩。若更要追尋爲甚麼？便只好訴諸直覺了。

宇宙間底事事物物，無一樣不是我們底詩料。他們都活鮮鮮的等著，專備詩人底運用。巧匠把斷瓦殘磚蓋成一所華屋，拙匠把采椽丹楹弄得沒有了顏色，其操持都在匠心和匠手。物的世界元是蠢的；經過心底鍛鍊，才覺得有些美；更淘去較粗的美，而把更精的充量的表出來，就是藝術。以熱烈的感情浸潤宇宙間底事事物物而令其理想化，再把這些心象具體化了而譜之於只有心能領受底音樂，正是新詩底本色呵。

「我想世界上只有光，
只有花，
只有愛！」

二

但是，新詩底要素是些甚麼，也不可不再商量。普通做詩，照前面說過的，是把情緒的想像的意境，音樂的刻繪的寫出來。所寫的是內容，寫的是形式。新詩既有別於舊詩，我們儘好更具體的給他們一個分別罷。

就形式說，有音樂的和刻繪的兩個作用。音樂的是音節，刻繪的是寫法。

㈠舊詩裡音樂的表現，專靠音韻平仄清濁等滿足感官底東西。因爲格律底束縛，心官於是無由發展；心官愈是不發展，愈只在格律上用工夫，浸假而僅能滿足感官；竟嗅不出詩底氣味了。於是新詩排除格律，只要自然的音節。

情發於聲，因情的作用起了感興，而其聲自成文采。看感興底深淺而定文采底豐歉。這種的文采就是自然的音節。我們底感興到了極深底時候，所發自然的音節也極諧和，其輕重緩急抑揚頓挫無不中乎自然的律呂。不要說詩，我們但讀文學家底散文，其音節底和諧，不但可以悅耳，並足以悅心，使我們同他起同一的感興。又不要說散文，我們但聽演說家底演說，其音節底和諧，也不但可以悅耳，並足以悅心，使我們同他起同一的感興。這都是情動於中而形於言，莫知其然而然的。無韻的韻比有韻的韻還要動人。若是必要藉人爲的格律來調節聲音而後才成文采，就足見他底情沒發，他底感興沒起，那麼他底詩也就可以不必作了。感情底內動，必是曲折起伏，繼續不斷的。他有自然的法則，所以發而爲聲成自然的節奏；他底進行有自然的步驟，所以其聲底經過也有自然的諧和。音呀，韻呀，平仄呀，清濁呀，有一端在裡面，都可以使作品愈增其美，不過總須聽其自然，讓妙手偶然得之罷了。

詩要寫，不要做；因爲做足以傷自然的美。不要打扮，而要整理；因爲整理足以助自然的美。做的是失之太過，不整理是失之不及。新詩本不尙音，但整理一兩個音就可以增自然的美，就不妨整理整理他。新詩本不尙韻，但整理一兩個韻就可以增自然的美，又不妨整理整理他。新詩本不尙平仄清濁，但整理一兩個平仄清濁就可以增自然的美，也不妨整理整理他。「羅衣何飄飄，輕裾隨風旋！」沒有平仄；但我們覺得他底調子十分高爽，因爲他有清濁。「江南可採蓮，蓮葉何田田！魚戲蓮葉間。魚戲蓮葉東。魚戲蓮葉西。魚戲蓮葉南。魚戲蓮葉北。」沒有格律；但我們覺得他底調子十分清俊，因爲他不顯韻而有韻，不顯格而有格，隨口呵出，得自然的諧和。「滴滴琴泉，聽聽他滴的是甚麼調子？」既沒有韻，也沒有清濁；但我們覺得他底調子十分響亮，而且有些神奇，因爲他有平仄而兼有音——就是雙聲和疊韻。總之，新詩音節底整理，總以讀來爽口，聽來爽耳爲標準；若到眞妙處，更可以比官能更進一層。太戈爾底園丁集裡說，「那樣軟笑低吟，不是我的底，祇有我底心能聽。」要到祇有心能聽，那更不用說有了自然的音節，就四圍都無處不是韻了。

㈡刻繪的作用，在把我底感興，完全度與讀的人。我底感興所以這樣深，是由於對於對象得了一個具體的印象；讀的人是否能和我起同一的感興，就看我是否能把我所得於對象底具體的印象具體的寫出來。我們寫聲就要如聽其聲；寫若色就要如見其色；寫若香若味若觸若溫若冷就要如感受其若香若味若觸若溫若冷。我們把心底花蕊開在一個具體的印象上，以這個印象去勾引他底心；他得到這個東西，便內動的構成一個，引起他自己底官快；跟著他再由官快進而爲神怡，得到美底享樂，而他底感興起了。這個似乎說，詩是爲人而作的；其實不然。就功利說，這種的寫法都是爲了讀的人，而就動機說，只不過是迫於藝術衝動而爲自己表見。我底詩一脫稿，我自己也就成了讀的人了。能引起我底感興底再生，就能引起別人底感興底共鳴。你看「小胡同口，放著一副菜擔——滿擔是青的紅的蘿蔔，白的菜，紫的茄子；賣菜的人立著慢慢的叫賣。」我們讀了就如同看見的一樣。「忽地裡撲喇喇一響，一個野雁飛去水塘；髣髴像大車音波，慢慢的工——東——噹。」我們讀了就如聽見的一樣。這是具體的寫法，就是刻繪的作用。——這本是文學裡應具的通德，不過舊詩限於格律，不能寫得到家；如今新詩和散文攜手，自然更能寫得到家了。

就內容說，有情緒的和想像的兩種意境。

㈠詩是主情的文學。沒有情緒不能作詩；有而不豐也不能作好。勿論緊張或弛緩，興奮或沈抑，而我們底感情上只有快不快。由是勿論我們底情緒爲歡樂爲悲哀，都可以引起我們底美底感興，而催我們作詩，——甚且愈悲哀，在詩人底味上覺得愈美，詩人不必是神經質的；但當其詩興大發，不可不具神經質的作用。詩人看世界都是有生氣的；因爲要有生氣才有死氣，要有美和醜底對比才生快不快底感情。我們看個硯池：看他和即墨黑公管城毛公會稽褚先生相與爲友，鎮日都過得很清潔的生活，他在案上靜著，自然幽雅的和他們傍著；動的時候，便互相的成就許多有益的事。我們在這裡，覺得十分羨慕他，不管他有沒有詩意，但至少總起了一點好玩兒的感興，又看他靜便靜著；動便動著；機械的忙著而不知道爲的甚麼；成就許多有益的事而於他自己無與；就和些朋友一塊兒生活著，也只是不得不然，隨便應酬罷了。我們在這裡，又覺得十分可憐他，不管他有沒有詩意，但至少又總起了一點無聊的感興。原來宇宙只是一個眞，不管人間底美不美。但人間要把他看作美或看作不美，他卻沒有法子拒絕的。情緒是主觀的；而引起或寄託情緒的是客觀的。我們要對於宇宙絕對的有同情，再讓他絕對的同情於我，濃厚的情緒就不愁不有了。

㈡有濃厚的情緒而沒有豐富的想像去安排他，畢竟也不中用。我們要讓死氣的世界都帶了生氣，都著了情底彩色，非想像不爲功。要把所要的材料加以剪裁，使其適合尺度，也非想像不爲功。要把所有的材料加以調整，構成所要的東西，更非想像不爲功。想像抽這一個印象底這一節，又抽那一個印象底那一部，構成一個新意境，構成一個詩的世界。

還有幾樣東西，不是言語所能說得明白的，也提個影子。第一，新詩在詩裡，本是要圖形式開放的，那麼就甚麼體裁也不能拘，而尙自由的體裁。次則遣詞要質樸而命意要含蓄。紅樓夢所以令人百讀不厭，因爲他底命意都不是裸然顯露的。含蓄並不是要隱晦；明瞭並不是不能含蓄。甚麼「溫柔敦厚」哪，是屬於作家個人的修養和社會底風教，和這個無關；不過使言有盡而意無窮，令讀的人一唱而三嘆，是藝術上可以做得到的。不然，一看就盡，味同嚼蠟，簡直寧可不作了；再次則神秘固不是詩裡必須的東西，但因其中於人類底天性，也可以興起一種美感，所以有時因想像而涉於神秘，也不必排去的。最後就是風格要高雅。怎麼樣才是高雅？這就很難說的，而且也非純靠藝術所能達到的。我在這裡，只好要求新詩人自己努力於人格底完成罷了。

「四圍底人籟都寂了，
只有她纏綿的孤月
儘照著那碧澄澄的風波
碰著船里䆗綳壠的響。
我知道人底素心，
　水底素心，
月底素心——一樣。
我願水送客行
月伴我們歸去！」

（下略）

一四　劉老老進大觀園

曹雪芹

【作者】

紅樓夢是乾隆年間流傳民間的一部章回小說，當時不知作者名氏。根據胡適的研究，此書前八十回爲曹雪芹所作，後四十回則係高鶚所補。由於紅樓夢筆調細緻，結構完美，內容廣闊，目前已成爲中外學者研究的要門，而有「紅學」之名。

曹雪芹，名霑，一字芹圃，清漢軍正白旗人，世居瀋陽。生於清康熙末年，死於高宗乾隆二十七年（西元一七六二年），享年四十多歲。

他的前三代祖先都在江南做內府的織造官，家世顯赫。祖父曹寅尤其有名，擅長詩詞書法，也是有名的藏書家，全唐詩就是由他主持刻印的。這樣一個富貴而又有書香氣息的家庭，培養了他的學問根柢和文學才能。在他還只是十幾歲的時候，家裡因爲犯罪被抄沒財產，陷入困境，遷徙到北方，幾乎無以爲生，於是他把自己一生的所見所聞、所感所想，用寫實的章回小說的形式發表出來，這就是他的不朽傑作—紅樓夢。他的書費力十年，增刪多次，初名「石頭記」，又名爲「風月寶鑑」，乾隆中期以八十回抄本流行於世。

高鶚，字蘭墅，清奉天（今遼寧省）鐵嶺人，乾隆六十年進士。他四十回的續作，大體沒有違背作者的原意，一反中國小說戲曲的先例，把紅樓夢寫成了一個大悲劇。

【題解】

本課是刪綴紅樓夢第四十回「史太君兩宴大觀園」有關劉老老的部分而成的。

劉老老—一個鄉下的老寡婦，是賈府的老鄉親，有次到榮國府去，老太太賈母看上了她，請她逛大觀園，而成爲賈府少爺小姐們的新奇人物和玩具式的偶像，飽受玩弄。而劉老老也熟悉人情世故，故意說些村話，作些醜笨的動作，使太太、小姐們開心，來換得賈母的憐憫。

大觀園，是榮國府爲了接待他們的貴妃元春（賈母的長孫女，入宮封爲貴妃。）省親才建造的，園裡的亭台樓閣，花木山水，非常精緻美麗。紅樓夢的男女主角—賈寶玉、林黛玉等都住在園裡，有許多悲歡離合的故事，是在大觀園發生的。

紅樓夢是一部頗負盛名的言情小說，以描寫個性，刻劃心理擅長。在此課中，作者描繪劉老老慧黠詼諧，無一不出神入化，使讀者如見其人，如聞其聲。可是人物太多，不容易弄清楚，最好將與本課有關的主要人物表列出來，以便參考。

【本文】

這日，天氣清朗，李紈(1)因昨晚賈母(2)說給史湘雲(3)還席(4)，清晨起來，看著老婆子丫頭們掃那些落葉，並擦抹桌椅，預備茶酒器皿。只見豐兒(5)帶了劉老老(6)、板兒(7)進來，說：「大奶奶，倒忙得很！」李紈笑道：「我說你昨兒去不成，只忙著要去。」

劉老老笑道：「老太太(8)留下我，叫我也熱鬧一天去。」

正亂著，只見賈母已帶了一群人進來了。李紈忙迎上去，笑道：「老太太高興，倒進來了，我只當還沒梳頭呢，才掐(9)了菊花要送去。」一面說，一面碧月(10)早已捧過一個大荷葉式的翡翠(11)盤子來，裡面養著各色折枝菊花。賈母便揀了一朵大紅的簪在髮上，因回頭看見了劉老老，忙笑道：「過來戴花兒。」一語未完，鳳姐兒(12)便拉過劉老老來，笑道：「讓我打扮你！」說著，把一盤子花，橫三豎四的插了一頭。賈母和眾人笑的了不得，劉老老也笑道：「我這頭也不知修了什麼福，今兒這樣體面起來！」眾人笑道：「你還不拔下來摔到他的臉上呢！把你打扮的成了老妖精了！」劉老老笑道：「我雖老了，年輕時也風流，愛個花兒粉兒的，今兒索性做個老風流！」

說話間，已來至沁芳亭(13)上，丫嬛(14)們抱了個大錦褥子來鋪在欄杆榻板上，賈母依欄坐下，命劉老老也坐在旁邊，因問他：「這園子好不好？」劉老老念佛說道：「我們鄉下人，到了年下(15)，都上城來買畫兒貼，閒了的時候兒，大家都說：怎麼得到畫兒上逛逛。想著畫兒也不過是假的，那裡有這個眞地方兒？誰知今兒進這園裡一瞧，竟比畫兒還強十倍！怎麼得有人也照著這個園子畫一張，我帶了家去給他們見見，死了也得好處！」賈母眾人都笑了。

歇了歇，又領著劉老老都見識見識⒃。先到了瀟湘館⒄。一進門，只見兩邊翠竹夾路，土地下蒼苔佈滿，中間羊腸一條石子漫⒅的甬路⒆。劉老老讓出來與賈母衆人走，自己卻走土地，琥珀⒇拉他道：「老老，你上來走，看青苔滑倒了。」劉老老道：「不相干，我們走熟了，姑娘們只管走罷，可惜你們的那鞋，別沾了泥！」他只顧上頭和人說話，不防腳底下果躧(21)滑了，咕咚一交跌倒。衆人都拍手呵呵的大笑，賈母笑罵道：「小蹄子(22)們！還不攙起來，只站著笑！」說話時，劉老老已爬起來了，自己也笑了，說道：「才說嘴，就打了嘴了！」

紫鵑(23)早打起湘簾(24)。賈母等進來坐下，劉老老因見窗下案上設著筆硯，又見書架上放著滿滿的書，劉老老道：「這必定是那一位哥兒的書房了？」賈母笑指黛玉(25)道：「這是我這外孫女兒的屋子。」劉老老留神打量了黛玉一番，方笑道：「這那裡像個小姐的繡房，竟比那上等的書房還好呢！」

賈母等坐了一回，一徑(26)離了瀟湘館，遠遠望見池中一群人在那裡撐船，賈母道：「他們既備下船，偺們就坐一回！」說著，向紫菱洲、蓼溆(27)一帶走來。未至池前，只見幾個婆子手裡都捧著一色攝絲戧金(28)五彩大盒子走來，鳳姐忙問王夫人(29)：「早飯在那裡擺？」王夫人道：「問老太太在那裡就在那裡罷了！」賈母聽說，便回頭說：「你三妹妹(30)那裡好。你就帶了人擺去！我們從這裡坐了船去。」

鳳姐兒聽說，便回身和李紈、探春、鴛鴦(31)、琥珀帶著端飯的人等，抄著近路，到了秋爽齋(32)，就在曉翠堂調開桌案。鴛鴦笑道：「天天偺們說，外頭老爺們，吃酒吃飯，都有個湊趣兒的，拿他取笑兒，偺們今兒也得了個女清客(33)了！」李紈是個厚道人，倒不理會。鳳姐卻聽著是說劉老老，便笑道：「偺們今兒就拿他取個笑兒。」二人便如此這般商議。正說著，只見賈母等來了，各自隨便坐下。鳳姐一面遞眼色與鴛鴦，鴛鴦便忙拉劉老老去，悄悄的囑咐了劉老老一席話(34)，又說：「這是我們家的規矩，要錯了，我們就笑話呢！」

劉老老挨著賈母一桌。賈母素日喫飯皆有小丫嬛在旁邊拿著漱盂、麈尾(35)、巾帕之物，如今鴛鴦是不當這差的了，今日偏接過麈尾來拂著，丫嬛們知他要捉弄劉老老，便躲開讓他。鴛鴦一面侍立，一面遞眼色，劉老老道：「姑娘放心。」

那劉老老入了坐，拿起箸來，沉甸甸的不伏手(36)，原是鳳姐和鴛鴦商議定了，單拿了一雙老年四楞(37)象牙鑲金的筷子給劉老老。劉老老見了，說道：「這個叉巴子(38)，比我們那裡的鐵掀(39)還沉，那裡拿的動他！」說的衆人都笑起來。只見一個媳婦(40)端了一個盒子站在當地，一個丫嬛上來揭去盒蓋，裡面盛著兩碗菜。李紈端了一碗放在賈母桌上，鳳姐偏揀了一碗鴿子蛋放在劉老老桌上。

賈母這邊說聲「請」，劉老老便站起身來，高聲說道：「老劉！老劉！食量大如牛，喫個老母豬不抬頭！」說完，卻鼓著腮幫子⑷，兩眼直視，一聲不語。眾人先還發怔⑿，後來一想，上上下下都一齊哈哈大笑起來：湘雲撐不住，一口茶都噴出來；黛玉笑岔了氣⒀，伏著桌子，只叫「噯喲！」寶玉⒁滾到賈母懷裡，賈母笑的摟著叫「心肝⒂！」王夫人笑的用手指著鳳姐兒，卻說不出話來；薛姨媽⒃也撐不住，口裡的茶，噴了探春一裙子；探春的茶碗都合在迎春⒄身上；惜春⒅離了坐位，拉著他奶母，叫揉揉腸子。地下無一個不彎腰屈背，也有躲出去蹲著笑去的，也有忍著笑上來替他姐妹換衣裳的，獨有鳳姐、鴛鴦二人撐著，還只管讓劉老老。

劉老老拿起箸來，只覺不聽使，又道：「這裡的雞兒也俊⒆，下的這蛋也小巧，怪俊的，我且得一個兒！」眾人方住了笑，聽見這話，又笑起來。

那劉老老正誇雞蛋小巧，鳳姐兒笑道：「一兩銀子一個呢，你快嘗嘗罷！冷了就不好喫了。」劉老老便伸筷子要夾，那裡夾起來，滿碗裡鬧了一陣，好容易撮起一個來，才伸著脖子要吃，偏又滑下來，滾在地下；忙放下筷子，要親自去揀，早有地下的人揀了出去了。劉老老嘆道：「一兩銀子，也沒聽見個響聲兒就沒了！」

賈母笑道：「誰這會子又把那個筷子拿出了？又不請客，擺大筵席。都是鳳丫頭支使的！還不換了呢！」地下的人原不曾預備這牙筯⑸⑽，本是鳳姐和鴛鴦拿了來的，聽如此說，忙收過去了，也照樣換上一雙烏木鑲銀的。劉老老道：「去了金的，又是銀的，到底不及俺們那個伏手。」鳳姐兒道：「菜裡要有毒，這銀子下去了就試的出來。」劉老老道：「這個菜裡有毒，我們那些都成了砒霜⑸⑴了，那怕毒死了，也要吃盡了。」

賈母見他如此有趣，吃的又香甜，把自己的菜也都端了過來給他吃，又命一個老嬷嬷⑸⑵來將各樣的菜給板兒夾在碗上。

一時吃畢，賈母都往探春臥室中去閒話。這裡收拾殘桌，又放了一桌。劉老老看著李紈與鳳姐兒對坐著吃飯，歎道：「別的罷了，我只愛你們家這行事！怪道說『禮出大家！』」鳳姐兒忙笑道：「你可別多心！剛才不過大家取樂兒；」一言未了，鴛鴦也進來笑道：「老老別惱，我給你老人家賠個不是兒罷！」劉老老忙笑道：「姑娘說那裡的話？偺們哄著老太太開個心兒，有什麼惱的？你先囑咐我，我就明白了，不過大家取笑兒；我要惱，也就不說了。」

賈母等在探春房中，說了一陣話，一齊出來，走不多遠，已到了荇葉渚⑸⑶，那姑蘇選來的幾個駕娘，早把兩隻棠木舫撐來，衆人扶了賈母、王夫人、薛姨媽、劉老老、鴛鴦、玉釧兒(54)，上了這一隻船，次後李紈也跟上去，鳳姐也上去，立在船頭上，然後迎春姐妹等並寶玉上了那隻，隨後跟來。

不多時，已到了花漵的蘿港(55)之下，覺得陰森透骨，兩灘上衰草殘菱，更助秋興。賈母因見岸上的清廈曠朗，便問：「這是薛姑娘(56)的屋子不是？」眾人道：「是。」賈母忙命攏岸，順著雲步石梯上去，一同進了蘅蕪院(57)，只覺得異香撲鼻，那些奇草仙藤，愈冷愈蒼翠，都結了實，似珊瑚豆子一般，纍垂可愛。及進了房屋，雪洞一般，一色的玩器全無，案上只有一個土定瓶(58)，瓶中供著數枝菊，並兩部書、茶奩、茶杯而已；床上只吊著青紗帳幔，衾褥也十分樸素。

大家坐了一回方出來，一徑來至綴錦閣(59)。鳳姐早帶人在綴錦閣下擺設齊整，賈母等入席坐定，吃了一會酒，行了一會令，劉老老又鬧出許多笑話，惹得大家笑個不休。一時席散，賈母因要帶著劉老老散悶，遂攜了劉老老至山前樹下盤桓(60)了半晌(61)，又說給他這是什麼樹，這是什麼石，這是什麼花，劉老老一一領會。一時，來至「省親別墅(62)」的牌坊底下，劉老老道：「噯呀！這裡還有大廟呢！」說著，便爬下磕頭，眾人笑彎了腰，劉老老道：「笑什麼？這牌樓上的字我都認識，我們那裡這樣的廟宇最多，都是這樣的牌坊，那字就是廟的名字。」眾人笑道：「你知道這是什麼廟？」劉老老便抬頭指那字道：「這不是『玉皇寶殿(63)』？」衆人笑的拍手打掌，還要拿他取笑兒。……

【注釋】

(1)李紈—字宮裁，別號稻香老農，原籍金陵。賈府的寡居大少奶奶，即賈政長子賈珠的妻子，賢慧忠厚，住在大觀園的「稻香村」，幫助料理家務。紈，音ㄨㄢˊ。

(2)賈母—榮國公賈代善的妻子，金陵世家史侯的女兒，紅樓夢裡通稱賈母，又稱史太君。生二子：長赦，次政；生一女名敏，即林黛玉之母。賈母鬢髮如銀，兒孫滿堂，是個會享福的老太太。

(3)史湘雲—別號枕霞舊友，賈母的娘家孫女。父母早亡，依靠著叔嬸過日子，他們待她很刻薄。賈母短時期接她住在大觀園裡。

(4)還席—吃過人家的飯回請人家。史湘雲早先在「藕香榭」請大家吃了螃蟹，所以賈母等要給她還席。

(5)豐兒—賈府當家少奶奶王熙鳳的婢女。

(6)劉老老—北方人稱外祖母爲老老。劉老老，寡居無子，依女婿王狗兒爲活，是王熙鳳這一門的遠親。老老，和「姥姥」相同。讀ㄌㄠˇ‧ㄌㄠ。

(7)板兒—王狗兒的兒子，劉老老的外孫，跟隨老老到賈府來求助。

(8)老太太—就是賈母。

(9)掐—音ㄑㄧㄚ，用指爪摘物。

(10)碧月—李紈的婢女。

⑾翡翠─綠色的玉。
⑿鳳姐兒─賈母的孫媳，賈璉的妻子，潑辣能幹，會說笑，能迎合賈母的意思，是賈府裡的當家少奶奶。
⒀沁芳亭─大觀園內的亭名。沁，音ㄑㄧㄣˋ，滲透之意。
⒁丫嬛─同丫鬟（ㄧㄚ ㄏㄨㄢˊ），婢女的俗稱，也叫丫頭（ㄧㄚ ˙ㄊㄡ），因爲頭上兩髮髻，像丫字。
⒂年下─接近過年的時候。
⒃見識見識─開開眼界。
⒄瀟湘館─大觀園裡的一所建築，貴妃（賈政女兒）賜名瀟湘館，院內種有很多竹子，是賈母的外孫女林黛玉住的地方。
⒅漫─鋪設。
⒆甬路─庭間的小路。
⒇琥珀─賈母的丫頭。
(21)躧─音ㄒㄧˇ，踩、踏。
(22)小蹄子─罵婢女的話。
(23)紫鵑─林黛玉的丫頭。
(24)湘簾─拿湘妃竹編成的簾子。相傳帝舜死於蒼梧，娥皇、女英二妃在湘極度哀傷，淚水染在竹上，形成斑痕，後人稱爲「湘妃竹」，又叫「斑竹」。
(25)黛玉─紅樓夢中的女主角。字顰卿，別號瀟湘妃子，原籍姑蘇（今江蘇吳縣）。林如海的女兒，賈母的外孫女，聰明秀麗，多愁善感，長於詩文。因父母雙亡，十一歲便寄居賈府。

(26)一徑——本是一直、直接的意思，這裡當一起用。
(27)紫菱洲、蓼漵——在賈母的二孫女迎春住處附近。蓼，音ㄌㄧㄠˇ，香草名。漵，音ㄒㄩˋ，水邊。
(28)一色攝絲戧金——一色，同樣顏色。攝絲，拖帶著絲兒。戧，音ㄑㄧㄤˋ。戧金，裝飾著金屬物。
(29)王夫人——賈母的二兒媳，賈政的夫人王氏，鳳姐的姑媽。
(30)三妹妹——指賈探春。賈政的女兒，庶出，排行第三，別號蕉下客，住在秋爽齋。
(31)鴛鴦——賈母的丫頭，忠心盡責，善良正直，深得賈母的愛寵，在賈府內佔有一席地位。
(32)秋爽齋——大觀園裡面探春所住的地方。
(33)清客——即門下食客，專門陪伴主人清談取樂的人。
(34)一席話——一番話。
(35)麈尾——麈，音ㄓㄨˇ，鹿類動物，也叫駝鹿，頭像鹿，腳像牛，尾巴像驢，頸背像駱駝，俗稱「四不像」。
古時取麈尾作拂塵，用以驅蚊蠅。
(36)沉甸甸的不伏手——沈重不順手。伏，通「服」。
(37)四楞——四面有稜，指方形長條的筷子。
(38)叉巴子——北方俗語，即叉子。
(39)鐵掀——鏟土用的鐵器。掀，音ㄒㄧㄢ，又作鍁。
(40)媳婦——指女傭人。
(41)腮幫子——面頰。
(42)發怔——發呆。怔，音ㄌㄥˋ，通「楞」。

⑷岔了氣—胸氣不順。岔，音ㄔㄚˋ。

⑷寶玉—紅樓夢中的男主角。賈政的兒子。賈母的寵愛孫兒，別號怡紅公子。啣了五彩晶瑩的通靈寶玉出生，所以叫寶玉。溫文秀麗，風流多情，瀟灑脫俗。因爲婚姻不自由，後來棄家當了和尚。

⒂心肝—對極疼愛者的暱稱。

⒃薛姨媽—王夫人的妹妹。帶著兒子薛蟠，女兒寶釵來京，寄住在賈家的梨香院中。

⒄迎春—別號菱洲，混號二木頭。賈母的二孫女，賈赦的女兒，庶出，排行第二。住在大觀園紫菱洲。

⒅惜春—別號藕榭。寧國府賈敬的女兒，賈母的姪孫女。排行第四。住在大觀園藕香榭。在姊妹行中，她算最小，會畫畫兒。

⒆俊—好看。

⒇牙筯—象牙做的筷子。

(51)砒霜—毒藥名。

(52)嬷嬷—對奶媽的尊稱。讀ㄇㄚ·ㄇㄚ。

(53)荇葉渚—在大觀園中秋爽齋附近。荇，是荇菜。渚，小洲。

(54)玉釧兒—王夫人的丫頭。

(55)花溆的蘿港—在大觀園內蘅蕪院附近。

(56)薛姑娘—指薛寶釵。別號蘅蕪君，父親早死，跟母親住在賈家，氣度大方，溫柔敦厚，很博得大家的歡心，以後嫁給賈寶玉。

(57)蘅蕪院—蘅蕪，香名。這地方花草芬芳，所以取此名。

(58)土定瓶—瓷土做的，河北定州出品的瓶子。
(59)綴錦閣—在大觀園中省親別墅附近，是迎春所住的地方。
(60)盤桓—留連不回的樣子。
(61)半晌—不久，一會兒。
(62)省親別墅—大觀園中的正殿，特別預備給貴妃省親的時候用的，裝飾得富麗堂皇。
(63)玉皇寶殿—供奉玉皇大帝的殿堂。玉帝，是天帝，也稱玉帝，又稱玉皇大帝。

【結構】

一、請將本課所提到的人物，依其關係表列出來。
二、請依提示，整理出劉老老鬧笑話的事件：

地點	事情	他人之反應	劉老老之反應

【討論】

一、劉老老如此憨癡，是眞是假，從文章能否得到答案？
二、請說說你對王熙鳳和劉老老這兩種人的看法。

一五　建設的文學革命論

——國語的文學——文學的國語

胡　適

【作者】

胡適，字適之，乳名嗣穈，學名洪騂，安徽省績溪縣龍井鄉上莊人。

清德宗光緒十七年（西元一八九一年），十二月十一日生於上海大東門外。

光緒十九年（西元一八九三年），三歲，父親胡守珊任江蘇省垣中路保甲總巡。父親調職臺灣，全家由上海遷居臺灣。

光緒二十一年（西元一八九五年），五歲，隨母回鄉。七月父親病逝廈門。

宣統帝宣統二年（西元一九一〇年），二十歲，考取清華官費第二批留美學生，改用「胡適」名字，入「康耐兒大學」習農，後改讀文科。

民國三年（西元一九一四年），二十四歲，獲「康耐兒大學」文學士學位。

民國四年（西元一九一五年），二十五歲，進「哥倫比亞大學」哲學系修博士學位，系主任爲杜威博士。「美東中國學生會」成立「文學科學研究部」，胡適任「文學股」委員，與趙元任寫文章，認爲中國文字可以採用音標拚音。又與任叔永、梅啓迪、楊杏佛、唐擘黃等人討論中國文學、文字，認爲白話文是活文字，古文是半死的文字。一場大筆戰後，把他逼上作白話詩的路上去。

民國六年（西元一九一七年），二十七歲，一月在陳獨秀主編的「新青年」發表文學改良芻議，說明八項主張，正式樹起「文學革命」的旗幟。獲「哥倫比亞大學」哲學博士學位，七月返國，任「北京大學」教授，校長爲蔡元培。

民國七年（西元一九一八年），二十八歲，四月在「新青年」發表建設的文學革命論，爲「新文學」立下明確的指標。

民國八年（西元一九一九年），二十九歲，八月出版「嘗試集」。

民國十七年（西元一九二八年），三十八歲，任「中國公學」校長兼文理學院院長。

民國十九年（西元一九三〇年），四十歲，任「北京大學」文學院院長。

民國二十四年（西元一九三五年），四十五歲，當選「中央研究院」第一屆評議員。

民國二十七年（西元一九三八年），四十八歲，任駐美大使四年。

民國卅四年（西元一九四五年），五十五歲，任「北京大學」校長。

民國卅五年（西元一九四六年），五十六歲，當選「國民大會」代表。

民國卅八年（西元一九四九年），五十九歲，五月赴美講學。

民國四七年（西元一九五八年），六十八歲，回臺灣，任「中央研究院」院長。

民國五一年（西元一九六二年），七十二歲，二月二十五日因心臟病逝於院長任內。

胡適之博士倡導「文學革命」，鼓吹「白話文」，率先從事創作，出版我國第一本新詩集「嘗試集」，並撰寫白話文學史（只完成上卷），肯定我國歷代都有「白話文學」出現，而且在當代占有重要地位，這是他對「新文學」的主要貢獻。另外，他著有中國文學史（只出版上卷）及胡適文存，都頗負盛名。

【題解】

民國六年一月，胡適在「新青年」發表文學改良芻議，揭開「文學革命」的序幕，引起熱烈的迴響，由於文中提到的八件事都是消極的破壞，缺乏積極的意見，所以有些人的反應趨於偏激（例如陳獨秀），爲了挽回流弊，爲了使「新文學」得到正常的發展，遂於七年四月發表建設的文學革命論，說明他的正面見解。

在這篇文章當中，他把以前提出的八項主張稱作「八不主義」，並歸成四條原則，最主要，他喊出了「國語的文學，文學的國語」的口號，強調使用「國語」的「文學」才是「眞文學」、「活文學」，有了「文學」的「國語」才有生命、才有價值；而這兩者，又以「國語的文學」爲先，有了它，方才有「文學的國語」。

有人說：「若要用國語作文學，總須先有國語；如今沒有標準的國語，如何能有國語的文學呢？」他不以爲然，他認爲國語不是單靠語言學的專家與國語教科書、國語字典就能造成，最有效最需要的是先造國語的文學，而後讓人們直接從這些文學當中（有的可能會選入教科書），學得文學的國語。提倡新文學的人，可不必問有無標準國語，只須盡量採用歷代的白話，再輔以現代的白話來寫作（不得不用時，文言文還是要用），自可慢慢形成標準國語。這一見地，爲那時的國語運動開闢了一條康莊大道，衡諸後來的發展，確實是這樣的。

該文很長，這一課選的只是他提倡「活文學」的部分而已。

【本文】

一

我的「文學改良芻議」⑴發表以來，已有一年多了。這十幾個月⑵之中，這個問題居然引起了許多很有價值的討論，居然受了許多很可使人樂觀的響應。我想我們提倡文學革命的人，固然不能不從破壞一方面下手。但是我們仔細看來，現在的舊派文學實在不值得一駁。什麼桐城派⑶的古文哪，文選派⑷的文學哪，江西派⑸的詩哪，夢窗派的詞哪，聊齋誌異派⑺的小說哪，——都沒有破壞的價值。他們所以還能存在國中，正因爲現在還沒有一種眞有價值，眞可算作文學的新文學起來代他們的位置。有了這種「眞文學」和「活文學」，那些「假文學」和「死文學」，自然會消滅了。所以我望我們提倡文學革命的人，對於那些腐敗文學，個個都該存一個「彼可取而代也」的心理，個個都該從建設一方面用力，要在三五十年內替中國創造出一派新中國的活文學。

我現在做這篇文章的宗旨，在於貢獻我對於建設新文學的意見。我且先把從前所主張破壞的八事引來做參考的資料：

一、不做「言之無物」的文字。

二、不做「無病呻吟」的文字。
三、不用典。
四、不用套話爛調。
五、不用對偶：——文須廢駢，詩須廢律。
六、不做不合文法的文字。
七、不摹倣古人。
八、不避俗話俗字。

這是我的「八不主義」，是單從消極的，破壞的一方面著想的。

自從去年歸國以後，我在各處演說文學革命，便把這「八不主義」都改作了肯定的口氣，又總括作四條，如下：

一、要有話說，方纔說話。這是「不做言之無物的文字」一條的變相。
二、有什麼話，說什麼話；話怎麼說，就怎麼說。這是（二）（三）（四）（五）（六）諸條的變相。
三、要說我自己的話，別說別人的話。這是「不摹倣古人」一條的變相。
四、是什麼時代的人，說什麼時代話。這是「不避俗話俗字」的變相。

這是一半消極，一半積極的主張。一筆表過，且說正文。

二

我的「建設新文學論」的唯一宗旨只有十個大字：「國語的文學，文學的國語。」我們所提倡的文學革命，只是要替中國創造一種國語的文學。有了國語的文學，方才可有文學的國語。有了文學的國語，我們的國語才可算得眞正國語。國語沒有文學，便沒有生命，便沒有價值，便不能成立，便不能發達。這是我這一篇文字的大旨。

我曾仔細研究：中國這二千年何以沒有眞有價值眞有生命的「文言的文學？」我自己回答道：「這都因爲這二千年的文人所做的文學都是死的，都是用已經死了的語言文字做的。死文字決不能產生活文學。所以中國這二千年只有些死文學，只有些沒有價值的死文字。」

我們爲什麼愛讀木蘭辭⑻和孔雀東南飛⑼呢？因爲這兩首詩是用白話做的。爲什麼愛讀陶淵明⑽的詩和李後主⑾的詞呢？因爲他們的詩詞是用白話做的。爲什麼愛杜甫⑿的石壕吏、兵車行⒀諸詩呢？因爲他們都是用白話做的。爲什麼不愛韓愈的南山⒁呢？因爲他用的是死字死話。……簡單說來，自從三百篇⒂到於今，中國的文學凡是有一些價值有一些兒生命的，都是白話的，或最近於白話的。其餘的都是沒有生氣的古董，都是博物院中的陳列品！

再看近世的文學：何以水滸傳、西遊記、儒林外史、紅樓夢可以稱為「活文學」呢？因為他們都是用一種活文字做的。若是施耐菴、吳承恩、吳敬梓、曹雪芹都用了文言做書，他們的小說一定不會有這樣生命，一定不會有這樣價值。

讀者不要誤會；我並不曾說凡是用白話做的書都是有價值有生命的。我說的是：用死了的文言決不能做出有生命有價值的文學來。這一千多年的文學，凡是有眞正文學價值的，沒有一種不帶有白話性質，沒有一種不靠這個「白話性質」的幫助。換言之：白話能產生有價值的文學，也能產生沒有價值的文學；可以產生儒林外史，也可以產生肉蒲團⒃；但是那已死的文言只能產出沒有價值沒有生命的文學，決不能產出有價值有生命的文學，只能做幾篇「擬韓退之原道」⒄或「擬陸士衡⒅擬古⒆。」，決不能做出一部儒林外史。若有人不信這話，可先讀明朝古文大家宋濂的王冕傳，再讀儒林外史第一回的王冕傳便可知道死文學和活文學的分別了。

為什麼死文字不能產生活文學呢？這都由於文學的性質。一切語言文字的作用在於達意表情；達意達得妙，表情表得好，便是文學。那些用死文言的人，有了意思，卻須把這意思翻成幾千年前的典故；有了感情，卻須把這感情譯為幾千年前的文言。明明是客子思家，他們須說「王粲登樓」，「仲宣作賦」⒇；明明是送別，他們卻須說「陽關三疊」，「一曲渭城」(21)；明明是賀陳寶琛七十歲生日，他們卻須說是賀伊尹周公傅說(22)。更可笑的：明明是鄉下老太婆說話，他們卻要叫他打起唐宋八家的古文腔兒；明明是極下流的妓女說話，他們卻要他打起胡天游、洪亮吉(23)的駢文調子，……請問這樣做文章如何能達意表情呢？既不能達意，既不能表情，那裡還有文學呢？即如那儒林外史裡的王冕，是一個有感情，有血氣，能生動，能談笑的活人。這都因爲做書的人能用活言語活文字來描寫他的生活神情。那宋濂集子裡的王冕，便成了一個沒有生氣，不能動人的死人。爲什麼呢？因爲宋濂用了二千年前的死文字來寫二千年後的活人；所以不能不把這個活人變作二千年前的木偶，才可合那古文家法。古文家法是合了，那王冕也眞「作古」了！

因此我說，「死文言決不能產生活文學」。中國思想有活文學，必須用白話，必須用國語，必須用國語的文學。（下略）

【注釋】

⑴文學改良芻議—民國六年一月在「新青年」發表。參考〔附錄〕

(2)十幾個月—本文民國七年四月發表，中間隔了一年三個月。
(3)桐城派—清代文壇的主流，由鼻祖方苞創立主張，方傳給劉大櫆，劉傳給姚鼐，姚大張旗鼓，才成爲文派；由於他們都是安徽桐城人，所以稱爲「桐城派」。
桐城派標榜古文「義法」：
「義」就內容而言，主張「義理、考據、詞章三者不可偏廢」，亦即要講究思想的合理化、材料的準確性、文字的修飾度。
「法」就形式而言，提倡文詞的純粹化、規範化，不可混入五種因素：宋明語錄、魏晉俳語、漢賦重字、詩歌雋語、南北史佻巧語。
(4)文選派—南北朝時，梁武帝蕭衍之子，昭明太子蕭統編文選一書，載錄各代文章，由於選文偏向唯美觀點，後人有的就把寫此類文章的，稱做「文選派」。
(5)江西派—宋代詩壇的基本支柱，由江西人黃庭堅創立，專尚奇險與拗強，並提倡「脫胎換骨法」，模仿、襲改古人詩句。
(6)夢窗派—南宋詞派之一，以吳文英（號夢窗）、姜夔爲代表，注重形式上的慢琢細磨、遣詞造句，故又稱爲「精緻派」，反應了南宋苟安的狀態。
(7)聊齋誌異派—聊齋誌異，清蒲松齡作，內容以神仙鬼怪狐妖爲主，後來這一類小說，便以此爲派名。
(8)木蘭辭—木蘭詩，北朝樂府，作者不詳，敘述木蘭代父從軍的事。
(9)孔雀東南飛—漢朝樂府，原名焦仲卿妻，也有人以首句「孔雀東南飛」爲篇名，作者不詳。敘述漢末建安年間，廬江府小吏焦仲卿妻劉氏被婆婆驅遣，家人逼嫁不從，投水自殺，仲卿也自盡在庭中樹上的故事。

⑽陶淵明—參考桃花源記那一課。

⑾李後主—五代十國時南唐後主，名煜，用直述手法塡詞，不用比喻、象徵，以表現眞情爲主，不注重辭藻之華麗。

⑿杜甫—參考五言絕句那一課。

⒀石壕吏，兵車行—這兩首都是杜甫描寫征戰悲苦的樂府詩，石壕吏描寫一對有三個兒子的老夫婦，老大老二都戰死，老三也在守城，而縣吏還登門抓走老婦人去服僕役（老翁躲開了）。兵車行描寫男丁被調去戍守屯墾，長年不歸，留下老幼婦孺，無力充分耕作，難以應付稅官的索求，而有生男不如生女的感歎。

⒁韓愈的南山—參考韓愈師說那一課。「南山」韓愈所作的五言長詩，共兩百餘句，描寫南山形勢，以及他的經歷，堆砌而沒詩趣。

⒂三百篇—指詩經，實際上是三百零五篇，稱三百篇是舉整數來說的。

⒃肉蒲團—又名覺後禪，清李漁所作，描寫主人生活極淫亂後，卒歸禪門的故事。

⒄原道—說明聖道的根源在於闢佛老，養仁義。

⒅陸士衡—陸機，字士衡，晉時吳郡人，詞藻宏麗，與弟弟陸雲同爲「太康體」的代表人物，人稱「二陸」。

⒆擬古—陸機作擬古詩十二首，雖說是模擬漢的古詩，卻多駢偶綺麗之詞，沒有漢詩質樸自然的本色。

⒇王粲登樓，仲宣作賦—王粲，字仲宣，魏山陽高平人，建安七子之一，爲文重字句鍛鍊，已有駢偶的色彩。避亂荊州依劉表時，曾登江陵城樓，因思鄉而作登樓賦。

(21)陽關三疊，一曲渭城──王維送元二使安西詩「渭城朝雨浥輕塵，客舍青青柳色新；勸君更進一杯酒，西出陽關無故人。」情深意斂，後人配樂來唱，作為送別曲，稱為「陽關曲」，也叫「渭城曲」，由於末三句反覆唱一次，所以又名「陽關三疊」。渭城，在今陝西省長安縣西北，秦咸陽縣，漢曾改曰渭城。陽關，在今甘肅敦煌縣西南。

(22)賀陳寶琛……句──福建閩侯人，清進士，清亡後，做廢帝溥儀師傅，所以有人用伊尹、周公、傅說來比擬他。

(23)胡天游、洪亮吉──皆清乾隆年間人，善寫駢文。

【結構分析】

一、請同學參考〔附錄〕，依下列表式，把〔本文〕第「一」節歸納出來：

四條原則	八不主義	簡要說明
(一)	(一)	
(二)	(二)	
	(三)	
	(四)	
(三)	(五)	
	(六)	
(四)	(七)	

（八）

二、先請同學把〈本文〉第「二」節綱目整理出來，而後由老師分析其結構。

【討論】

一、胡適認爲我國文學當以元代最盛，可傳世不朽之作，當以元代最多，是爲什麼？（參考〈附錄〉第八節）。

二、胡適所謂「眞文學」「活文學」，主要的條件是依據「國語」而創作的「文學」，而又說標準的「國語」必須靠「文學」來造成，彼此是否有了矛盾？（參考〈題解〉）。

三、胡適認爲一時代有一時代的文學，而現代的文學，必須用「白話文」來創作，那麼，文字的功能是否只限於「當代」呢？如果是的話，我們還讀「文言文」幹什麼呢？

【附錄】

文學改良芻議節選

胡　適

今之談文學改良者衆矣，記者未學不文，何足以言此？然年來頗於此事再四研思，輔以友朋辯論，其結果所得，頗不無討論之價值。因綜括所懷見解，列爲八事，分別言之，以與當世之留意文學改良者一研究之。

吾以爲今日而言文學改良，須從八事入手。八事者何？

一曰，須言之有物。

二曰，不摹倣古人。
三曰，須講求文法。
四曰，不無病之呻吟。
五曰，務去爛調套語。
六曰，不用典。
七曰，不講對杖。
八曰，不避俗字俗語。

一曰須言之有物

……吾所謂『物』非古人所謂『以文載道』之說也。吾所謂『物』，約有二事：

（一）情感　詩序曰：『情動於中而形諸言。言之不足，故嗟歎之。嗟歎之不足，故詠歌之。詠歌之不足，不知手之舞之，足之蹈之也。』此吾所謂情感也。情感者，文學之靈魂。文學而無情感，如人之無魂，木偶而已，行尸走肉而已。（今人所謂『美感』者，亦情感之一也。）

（二）思想　吾所謂『思想』，蓋兼見地，識力，理想三者而言之。思想不必皆賴文學而傳，而文學以有思想而益貴，思想亦以有文學的價值而益貴也；此莊周之文，淵明老杜之詩，稼軒之詞，施耐菴之小說，所以敻絕千古也。思想之在文學，猶腦筋之在人身。人不能思想，則雖面目姣好，雖能笑啼感覺，亦何足取哉！文學亦猶是耳。……

二曰不摹倣他人

文學者，隨時代而變遷者也。一時代有一時代之文學：周秦有周秦之文學，漢魏有漢魏之文學，唐宋元明有唐宋元明之文學。此非吾一人之私言，乃文明進化之公理也。即以文論，有尚書之文，有先秦諸子之文，有司馬遷班固之文，有韓柳歐蘇之文，有語錄之文，有施耐菴曹雪芹之文：此文之進化也。試更以韻文之言：擊壤之歌，五子之歌，一時期也；三百篇之詩，一時期也，屈原荀卿之騷賦，又一時期也；蘇李以下，至於魏晉，又一時期也；江左之詩流爲排比，至唐而律詩大成，此又一時期也；老杜香山之『寫實』體諸詩，『如杜之石壕吏，羌村，白之新樂府，』又一時期也；詩至唐而極盛，自此以後，詞曲代興，唐五代及宋初之小令，此詞之一時代也；蘇柳（永）辛姜之詞，又一時代也；至於元之雜劇傳奇，則又一時代矣；凡此諸時代，各因時勢風會而變，各有其特長，吾輩以歷史進化之眼光觀之，決不可謂古人之文學皆勝於今人也……

既明文學進化之理，然後可言吾所謂『不摹倣古人』之說。今日之中國，當造今日之學，不必摹倣唐宋，亦不必摹倣周秦也。前見『國會開幕詞』，有云：『於鑠國會，遵晦時休。』此在今日而欲爲三代以上之文之一證也。更觀之『文學大家』，文則下規姚曾，上師韓歐；更上則取法秦漢魏晉，以爲六朝以下無文學可言，此皆百步與五十步之別而已，而皆爲文學下乘……

三曰須講求文法

今之作文作詩者，每不講求文法之結構。其例至繁，不便舉之，尤以作駢文律詩者爲尤甚。夫不講文法，是謂『不通』。此理至明，無待詳論。

四曰不無病呻吟

此殊未易言也。今之少年往往作悲觀，其取別號則曰『寒灰』，『無生』，『死灰』；其作爲詩文，則對落日而思暮年，對秋風而思零落，春來則惟恐其速去，花發又惟懼其早謝；此亡國之哀音也。老年人爲之猶不可，況少年乎？其流弊所在，遂養成一種暮氣，不思奮發有爲，服勞報國，但知發牢騷之音，感喟之文；作者將以促其壽年，讀者將亦知其志氣；此吾所謂無病之呻吟也。國之多患，吾豈不知之？然病國危時，豈痛哭流涕所能收效乎？吾惟願今之文學家作費舒特（Fichte），作瑪志尼（Mazzini），而不願其爲賈生王粲屈原謝翺也。其不能爲賈生王粲屈原謝翺，而徒爲婦人醇酒喪氣失意之詩文者，尤卑卑不足道矣！

五曰務去爛調套語

今之學者，胸中記得幾個文學的套語，便稱詩人。其所爲詩文處處是陳言爛調，『蹉跎』，『身世』，『寥落』，『飄零』，『蟲沙』，『寒窗』，『斜陽』，『芳草』，『春閨』，『愁魂』，『歸夢』，『鵑啼』，『孤影』，『雁字』，『玉樓』，『錦字』，『殘更』，……之類，纍纍不絕，最可憎厭。其流弊所至，遂令國中生出許多似是而非，貌似而實非之詩文。……

吾所謂務去爛調套語者，別無他法，惟在人人以其耳目所親見親聞所親身閱歷之事物，一一自己鑄詞以形容描寫之；但求其不失眞，但求能達其狀物寫意之目的，即是工夫。其用爛調套語者，皆懶惰不肯自己鑄詞狀物者也。

六曰不用典

吾所主張八事之中，惟此一條最受朋友攻擊，蓋以此條最易誤會也。……

（一）廣義之典非吾所謂典。廣義之典約有五種：

（甲）古人所設譬喻，其取譬之事物，含有普通意義，不以時代而失其效用者，今人亦可用之。如古人言『以子之矛，攻子之盾』，今人雖不讀書者，亦知用『自相矛盾』之喻，然不可謂為用典也。……

（乙）成語，成語者，合字成辭，別為意義。其習見之句，通行已久，不妨用之。然今日若能另鑄成『語』，亦無不可也。『利器』，『虛懷』，『舍本逐末』，……皆屬此類。非此『典』也，乃日用之字耳。

（丙）引史事，引史事與今所論議之事相比較，不可謂為用典也。如老杜詩云，『未聞殷周衰，中自誅褒妲，』此非用典也。近人詩云，『所以曹孟德，猶以漢相終，』此亦非用典也。

（丁）引古人作比，此亦非用典也。杜詩云，『清新庾開府，俊逸鮑參軍，』此乃以古人比今人，非用典也。又云『伯仲之間見伊呂，指揮若定失蕭曹，』此亦非用典也。

（戊）引用古之語此亦非用典也。吾嘗有句云，『我聞古人言，艱難惟一死。』又云，『嘗試成功自古無，放翁此語未必是。』此乃引語，非用典也。以上五種為廣義之典，其實非吾所謂典也。若此者可用可不用。……

（二）狹義之用典，則全為以典代言，自己不能直言之，故用典以言之耳。此吾所謂用典與非用典之別也。狹義之典亦有工拙之別，具工者偶一用之，未爲不可，其拙者則當痛絕之。

（子）用典之工者……

（1）東坡所藏『仇池石』，王晉卿以詩借觀，意在於奪。東坡不敢不借，先以詩寄之，有句云，『欲留嗟趙弱，甯許負秦曲。傳觀愼勿許，間道歸應速。』此用藺相如返璧之典，何其工切也。

（2）東坡又有『章質夫送酒六壺，書至而酒不達。』詩云，『豈意青州六從事，化爲烏有一先生。』此雖工已近於纖巧矣。

（丑）用典之拙者：用典之拙者，大抵皆懶惰之人，不知造詞，故以此爲躲懶藏拙之計。惟其不能造詞，故亦不能用典也。總計拙典亦有數類：

（1）比例泛而不切，可作幾種解釋，無確定之根據。今取王漁洋秋柳一章證之：娟娟涼露欲爲霜，萬縷千條拂玉塘。浦裡青荷中婦鏡，江千黃竹女兒箱。空憐板渚隋堤水，不見瑯琊大道王。若過洛陽風景地，含情重問永豐坊。

（2）僻典使人不解。夫文學所以達意抒情也。若必求人人能讀五車書，然後能通其文，則此種文可不作矣。

（3）刻削古典成語，不合文法。『指兄弟以孔懷，稱在位以曾是，』（章太炎語）是其例也。今人言『爲人作嫁』亦不通。

（4）用典而失其原意。如某君寫山高與天接之狀，而曰『西接杞天傾』是也。

（5）古事之實有所指，不可移用者，今則亂用作普通事實。如古人灞橋折柳，以送行者，本是一種特別土風。陽關渭城亦皆實有所指。今之懶人不能狀別離之情，於是雖身在滇越，亦言灞橋；雖不解陽關渭城爲何物，亦皆言『陽關三疊』，『渭城離歌』。又如張翰因秋風起而思故鄉之蓴羹鱸膾，今則雖非吳人，不知蓴鱸爲何味者，亦皆自稱有『蓴鱸之思』。此則不僅懶不可救，眞是自欺欺人耳！

凡此種種，皆文人之下下工夫，一受其毒，便不可救。此吾所以有『不用典』之說也。

七曰不講對仗

排偶乃人類言語之一種特性，故雖古代文字，如老子孔子之文，亦間有駢句。如『道可道，非常道；名可名，非常名。無名天地之始，有名萬物之母。故常無，欲以觀其妙；常有，欲以觀其徼。』此三排句也。『食無求飽，居無求安』；『貧而無諂，富而無驕』；『爾愛其羊，我愛其禮』。此皆排句也。然此皆近於語言之自然，而無牽強刻削之跡；尤未有定其字之多寡，聲之平仄，詞之虛實者也。至於後世文學末流，言之無物，乃以文勝；文勝之極，而駢文律詩興焉，而長律興焉。駢文律詩之中非無佳作，然佳作終鮮。所以然者何？豈不以其束縛人之自由過甚之故耶？（長律之中，上下古今，無一首佳作可言也。）今日而言文學改良，當「先立乎其大者」，不當枉廢有用之精力於微細纖巧之末；此吾所以有廢駢廢律之說也。即不能廢此兩者，亦但當視爲文學末技而已，非講求之急務也。

八曰不避俗字俗語

……以今世眼光觀之，則中國文學當以元代爲最盛；可傳世不朽之作，當以元代爲最多：此可無疑也。當是時，中國之文學最近言文合一。白話幾成文學之語言矣。使此趨勢不受阻遏，則中國幾有一『活文學出現』……。不意此趨勢驟爲明代所阻，政府即以八股取士，而當時文人如何李七子之徒，又爭以復古爲高，於是此千年難遇言文合一之機會，遂中道夭折矣。然以今世歷史進化之眼光觀之，則白話文學之為中國文學之正宗，又為將來文學必用之利器，可斷言也。（此『斷言』乃自作者言之，贊成此說者今日未必甚多也。）以此之故，吾主張今日作文作詩，宜採用俗語字。與其用三千年前之死字，（如『於鑠國會，遵晦時休』之類）不如用二十世紀之活字；與其作不能行遠不能普及之秦漢六朝文字，不如作家喻戶曉之水滸西遊文字也。

結論

上述八事，乃吾年來研思此一大問題之結果。遠在異國，既無讀書之暇晷，又不得就國中先長者質疑問難，其所主張容有矯枉過正之處。然此八事皆文學上根本問題，一一有研究之價值。故草成此論，以為海內外留心此問題者作一草案。謂之芻議，猶云未定草也，伏惟國人同志有以匡糾是正之。（民國六年，一月）

一六　荊生　林紓

【作者】

林紓，原名林群玉，字琴南，號畏廬，福建閩縣人。

清文宗咸豐二年（西元一八五二年），十一月八日生。少孤，事母至孝，喜歡讀書。

穆宗同治九年（西元一八七〇年），十九歲，染了嚴重肺病，家人都遭殃。

同治十年（西元一八七一年），二十歲，此後十年間，生活相當放縱，被同鄉視爲異端狂生。三十歲以後幾年間，讀了四萬卷左右的古書。

德宗光緒五年（西元一八七九年），二十八歲，中秀才。

光緒八年（西元一八八二年），卅一歲，中舉人。

光緒九年（西元一八八三年），卅二歲，此後十五年間（直到一八九八年），一連串的會試都落榜。

光緒二十五年（西元一八九九年），四十八歲，出版第一本用文言文翻譯的小說「茶花女遺事」。（法國小仲馬一八五二年，以一妓女與青年之戀愛故事爲中心，描寫當時上層社會的生活與思想，爲寫實小說之祖。）

宣統帝宣統元年（西元一九〇九年），五十八歲，任北京大學前身—京師大學文科學長。

民國八年（西元一九一九年），六十八歲，任段祺瑞左右手徐樹錚辦的正志中學教務長，該校嚴禁學生參加學生運動。

民國十三年（西元一九二四年），七十三歲，十月九日去世。

林氏志節清高，忠懇至誠，會試屢次落榜後，就以他流利古雅的文言文，潛心於翻譯工作，先後翻譯兩百種左右的外國著作，包括英國作家一百零五種、法國作家三十三種、美國作家二十種、俄國作家七種、瑞典作家兩種、不知名的作者七種，以及比利時、西班牙、挪威、希臘、日本作家各一種，另外還有一些短篇譯作。最受歡迎的有茶花女遺事、塊肉餘生記（英國迭更司原著）、黑奴籲天錄（美國斯陀夫人原著）等。

林氏本身不懂外文，翻譯時由助手王子仁、魏易、王慶通、陳家麟等人口譯，林氏依其意義，用中文書寫下來，所以有些書譯得與原著有出入，而所選的書也大多非一流作品。可是他是我國第一個投身譯事的人，所譯的書籍既多，又包含很多國家，對我國近代的文學及思想都有很大的影響。尤其是他這股精神，一直到現在，還沒有人能比得上。

民國六年，白話文運動興起，林氏極力反對，六年三月發表「論古文之不當廢」一文，首揭抗議旗幟，八年二月三月，發表「荊生」「妖夢」兩篇小說，諷刺新文學、新思想、新文化的領導人。（參考〈總述—中國新文學小史〉）當時，這些人有很多是北京大學的師生，所以他在八年三月，寫一封「致蔡鶴卿太史書」給北大校長蔡元培，控訴北大「覆孔孟、剷倫常。」「盡廢古書，行用土語。」後來又寫了一篇「論古文白話之相消長」，繼續他維護舊文學的論調。

林氏自己的著述有官場新現形記、天妃廟、畏盧文詩、畏盧詩存、韓柳文研究法等。

【題解】

民國四年九月，陳獨秀創辦「青年雜誌」月刊，鼓吹新思想，出版到六期停刊。五年九月復刊，改名爲「新青年」，六年一月刊載胡適文學改良芻議一文後，即變成新文學運動的大本營，而新思想、新文化的主張，也就漸漸滲入了新文學運動的洪流裡。尤其民國八年一月，北大學生傅斯年、顧頡剛等人籌辦的「新潮」雜誌發行後，原本廢除古文的主張，已擴大成棄古書、剷孔孟的時潮，錢玄同、傅斯年等人，甚至倡談廢除漢字，改用拚音文字呢！

林琴南「荊生」這一篇小說，於八年二、三月間發表在上海「新申報」，描寫擁護固有道德、傳統文學的大力士「荊生」，痛罵提倡新文學、廢除孔孟倫常的穎秀少年「田生」、「狄莫」、「金生」，表達他對舊有傳統的擁護，其用意固然不差，言辭卻嫌激切了些，而且把對方的言論渲染得太過度了，所以他自己也在文章結束前說這是編造的「快意之言」。其中，「田生」代表陳獨秀、「狄莫」代表胡適、「金生」代表錢玄同。（見〔注釋〕⑾⑿⒀。）

【本文】

辛亥國變將兆⑴，京城達官遷徙垂⑵空。京師陶然亭⑶遊客絕稀。有荊生者，漢中之南鄭⑷人，薄⑸遊京師，下榻陶然亭之西廂，書一簏⑹，銅簡⑺一具，重十八，懸之壁間，寺僧不敢問其能運此簡與否，然鬚眉偉然，知爲健男子了。

亭當同光⑻間，京僚恆置酒延涼⑼於是，以亂故，寂然無復遊客。時於五月十八日，山下有小奚奴，肩鑾榼⑽載酒，其後轆轆三車，載三少年，一爲皖人田其美⑾，一爲浙人金心異⑿，一則狄莫，不知其何許人⒀，悉新歸自美洲，能哲學⒁，而田生尤穎異，能發人所不敢發之議論，金生則能「說文」⒂，三人稱莫逆，相約爲山遊。

既至，窺荊生室，頗輕蔑，以爲武夫不知風雅，漠然不置念。呼僧掃榻，溫酒陳餚，坐而笑語，與荊生居處，但隔一窗。田生中坐，嘆曰：「中國亡矣，誤者均孔氏之學，何由堅言倫紀，且何謂倫紀者，外國且妻其從妹，何以能強？天下有人種，即有父母，父母於我又何恩者？」狄莫大笑曰：「惟文字誤人，所以至此」。田生以手抵几曰：「死文字，安能生活學術，吾非去孔子滅倫常不可！」狄莫曰：「吾意宜先廢文字，以白話行之，俾天下通曉，亦可使人人咸深奧之學術，不爲艱深文字所梗。唯金君何以默守說文，良不可解。」⒃金生笑曰：「君知吾何姓，吾姓金耳。姓金者，性亦嗜金，吾姓但欲得金，其講『說文』者，愚⒄不識字之人耳。正欲闡揚白話以佐君。」于是三人大歡，堅約爲兄弟，力掊孔子⒅。（忽聞有巨聲，板壁傾矣，撲其食案，杯盌均碎。）一偉丈夫蹻足⒆，超過破壁，指三人曰：「汝適⒇何言？中國四千餘年，以倫紀立國，汝何爲壞之！孔子何以爲時之聖(21)？時乎春秋(22)，即重俎豆(23)；時乎今日，亦重科學。譬叔梁紇(24)病篤於山東，孔子適在江南，聞耗，將以電報問疾，火車視疾耶？或仍以書附郵者，按站而行，抵山東且經月，俾不與死父相見，孔子肯如耶？子之需父母，少乳哺，長教育耳。乳汝而成人，教汝而識字，汝今能嗥吠，非二親之力胡(25)及此！譬如受人之財，或己命爲人所拯，有心者尙且啣恩，汝非二親不舉，今仍爲傷天害理之言。余四海無家，二親見背(26)，思之痛絕。爾乃敢以禽獸之言，亂吾清聽！」田生尙欲抗辯，偉丈夫駢二指按其首，腦痛如被錐刺。更以足踐狄莫，狄腰痛欲斷。金生短視，丈夫取其眼鏡擲之，則怕死如蝟(27)，泥首(28)不已。丈夫笑曰：「爾之發狂似李贄(29)，直人間之怪物。今日吾當以香水沐吾手足，不應觸爾背天反常禽獸之軀幹。爾可鼠竄下山，勿汗吾簡。吾殺爾後，亦亡命走山澤耳，然不欲者，留爾以俟(30)鬼誅。」三人相顧而言，斂具下山，迴顧危闌(31)之上，丈夫尙拊簡而俯視作獰笑也。

蠡叟(32)曰：荊生良多事，可笑。余在臺灣宿某公家，畜狗二十餘，終夜有聲，余堅臥若不之聞。又居蒼霞洲上，荔支樹巢白鷺千百，破曉作聲，余亦若無聞焉。何者？禽獸自語，於人胡涉？此事余聞之門人李生。李生似不滿意於此三人，故矯爲快意之言(33)以告余。余聞之頗爲溫噱(34)。如此混濁世界，亦但有(35)田生狄生足以自豪耳，安有荊生？……或者李生有託而言，余姑錄之，以補吾叢譚之闕(36)。

【注釋】

⑴兆──發生。
⑵垂──將近、幾乎。
⑶陶然亭──在北平外城西南角，爲士人名流遊宴之地。
⑷漢中、南鄭──秦置漢中郡，轄陝西省南部、湖北省西北一帶，明清稱府。南鄭是漢中府八縣之一，即陝西省南鄭縣。
⑸薄──通「泊」，止的意思。
⑹簏──圓的竹箱叫簏，方的叫筐。
⑺簡──這裡指盾牌。
⑻同光──同治（西元一八六二年──一八七四年），光緒（西元一八七五年──一九〇八年）。
⑼延涼──延有邀引意，延涼即乘涼。
⑽肩蠻榼──肩，挑；蠻，外國的；榼，酒器。
⑾皖人田其美──皖，安徽省簡稱。田其美影射安徽人陳獨秀，田氏是陳姓的一支，「美」與「秀」意義相近。
⑿浙人金心異──影射江蘇人錢玄同，「金」與「錢」同意，「異」與「同」相反，而浙江省以錢塘江著稱，所以說是浙人。
⒀狄莫，不知其何許人──指胡適，「狄」「胡」都指蠻人（所以不知何許人），以「莫」代「適」，是依據論語里仁篇「無適也，無莫也。」
⒁悉新歸自美洲，能哲學──指胡適，參考「建設的文學革命論」那一課。陳錢二人都留學日本，未聞至美

洲。不過就思想而言，他們是仿美的。

⒂金生能說文—錢玄同七歲開始學中國的文字聲韻，後來在這方面頗有創獲。

⒃胡適（狄莫）提倡白話文，從不淪入偏激，妄談廢棄文化，所以這兩段話也都只講文字問題而已。陳獨秀（田生）就不同了，民國八年一月，他在一篇慶祝「新青年」三周年的文章中說：「要擁護那德先生，便不得不反對孔教、禮法、貞節、舊倫理、舊政治；要擁護那賽先生，便不得不反對舊藝術、舊宗教；要擁護德先生，又要擁護賽先生，便不得不反對國粹和舊文學。」

⒄愚—愚弄。

⒅三人……力掊孔子—掊，抨擊。胡適不抨擊孔子，陳獨秀的主張見上注，錢玄同（金生）在七年三月寫的「中國今後文字問題」中，認爲「欲使中國不亡，欲使中國民族爲二十世紀文明之民族，必以廢孔學、滅道教爲根本之解決。」

⒆蹻足—蹻，將腳高高抬起。

⒇適—方才。

(21)時之聖—孟子萬章篇說：「孔子，聖之時者也。」意謂能掌握理則，隨時勢權變作法。

(22)時乎春秋—處於像春秋那樣的時代。

(23)俎豆—兩者都是古時放祭品的器物，「俎」像几形，「豆」像盤形。「俎豆」代表「禮」。

(24)叔梁紇—孔子父親。叔梁爲邑名。

(25)胡及此—胡，何、怎能的意思。

(26)見背—見，介詞；背，離開，此指去世。

(27)蝟—動物名，俗名刺蝟，亦稱蝟鼠。體側及下面有細長的褐毛，遇到敵人肌肉便收縮，全體成刺球形。
(28)泥首—泥，陷；泥首，頭低垂得停在地上。
(29)李贄—明神宗萬曆年間作姚安知府，與禪士往來，有一天竟把頭髮剃光，遂被免官。住在黃安，招集士人講學，男女雜坐，尊崇佛學，批評孔子。
(30)俟—等候。
(31)危闌—危，高；闌，同「欄」。
(32)蠡叟、李生—皆假設的人物，蠡、李、林音近，可能就是林琴南影射自己。
(33)矯爲快意之言—矯，假；快意，使心意暢快。
(34)溫噱—既覺得溫馨，又覺得可笑。噱，笑。
(35)但有—只有。
(36)闕—同「缺」。

【結構】

用最簡要的敘述，完成左邊的表：

	主張	荊生的駁斥
田生		
狄莫		

金生

【討論】

一、荊生提到「孔子爲聖之時者」，主要是抨責三個少年的那方面？

二、作者爲「荊生」及三個少年所塑造的形貌，你認爲如何？是否有其他的形貌可塑造呢？

一七　談新詩

——八年來一件大事

胡　適

【作者】

見一五課。

【題解】

民國六年，新文學運動揭開序幕以後，雖然獲得熱烈的迴響，但是胡適之、劉半農、蔡元培等主要人物，都認為必須經過長期的奮鬥，才能使白話文流行於世。沒想到民國八年，由於「五四」運動的刺激，全國紛紛出現白話的報章雜誌，原來使用文言文的，也漸漸趨於白話。終於，在民國九年，教育部宣布全國教科書用白話文書寫，給新文學運動帶來最大的勝利。

語文方面的改革，既然已獲得成功，剩下的就是文體的改革了，胡適這一篇「談新詩」，就是為這目的而寫的。雖然新文學另有小說、散文、戲劇三個門類，然而就文章體式來說，還是以詩歌的新舊差異最為明顯，因為舊詩有很多的格律限制。所以胡適先生就趁著白話文的優勢，在八年十月發表本文，對新詩的創作方向，作了積極的認定。

「談新詩」的原文很長，這裡節錄了有關詩體解放、平仄押韻音節的部分，除了藉以瞭解「文學革命」的一些基本態度外，也透過胡適的舉例，看看早期的新詩是什麼樣子。

【本文】

……（前略）……

二

我常說，文學革命的運動，不論古今中外，大概都是從「文的形式」一方面下手，大概都是先要求語言文字文體等方面的大解放。……近幾十年來西洋詩界的革命，是語言文字和文體的解放。這一次中國文學的革命運動，也是先要求語言文字和文體的解放。新文學的語言是白話的，新文學的文體是自由的，是不拘格律的。初看起來，這都是「文的形式」一方面的問題，算不得重要。卻不知道形式和內容有密切的關係。形式上的束縛，使精神不能自由發展，使良好的內容不能充分表達。若想有新內容和新精神，不能不先打破那些束縛精神的枷鎖鐐銬。因此，中國近年的新詩運動可算是一種「詩體的大解放」。因爲有了這一層詩體的解放，所以豐富的材料，精密的觀察，高深的理想，複雜的感情，才方能跑到詩裡去。五七言八句的律詩決不能容豐富的材料，二十八字的絕句決不能寫精密的觀察，長短一定的七言五言決不能委婉達出高深的理想與複雜的感情。

……我且舉我自己的一首詩作例：

應該

他也許愛我，——也許還愛我。
但他總勸我莫再愛他。
他常常怪我；
這一天，他眼淚汪汪的望著我，
說道：「你如何還想著我？
想著我，你又如何能對他？
你要是當眞愛我，
你應該把愛我的心愛他，
你應該把待我的情待他。」

……………………

他的話句句都不錯，——
上帝幫我！

我「應該」造樣做！（嘗試集二，五六。⑴）

這首詩的意思神情都是舊體詩所達不出的。別的不消說，單說「他也許愛我，——也許還愛我」這十個字的幾層意思，可是舊體詩能表現出的嗎？

再舉康白情⑵君的窗外：

窗外的閒月，
緊戀著窗內蜜也似的相思。
相思都惱了，
他還涎著臉兒在牆上相窺。
回頭兒他也惱了，
一抽身兒就沒了。
月倒沒了，
相思倒覺著捨不得了。（新潮一，四。）

這個意思，若用舊詩體，一定不能說得如此細膩。

就是寫景的詩，也須有解放了的詩體，方才可以有寫實的描畫。……如傅斯年⑶君的深秋永定門⑷晚景中的一段：（新潮⑷一，二。）

……那樹邊，地邊，天邊，
如雲，如水，如煙，
望不斷，——一線。
忽地裡撲喇喇一響。
一個野鴨飛去水塘，
彷彿像大車音浪，漫漫的工—東—噹。
又有種說不出的聲息，若續若不響。

這一段的第六行，若不用有標點符號的新體，決做不到這種完全寫實的地步。又如兪平伯⑸君的春水船中的一段：（冬夜⑸一，四。）

拉著個單槳的船徐徐移去。
雙櫓插在舷唇
紋面開紋，
活活水流不住。
舶頭晒著破網。
漁人坐在板上，

把刀劈竹拍拍的響。
船口立個小孩，又憨又蠢，
不知爲什麼？
笑迷迷痴看那黃波浪。……

這種樸素眞實的寫景詩乃是詩體解放後最足使人樂觀的一種現象。……（下略）……

四

我現在且談新體詩的音節。

現在攻擊新詩的人，多說新詩沒有音節。不幸有一些做新詩的人也以爲新詩可以不注重音節。這都是錯的。攻擊新詩的人，他們自己不懂得「音節」是什麼，以爲句腳有韻，句裡有「平平仄仄」「仄仄平平」的調子，就是有音節了。……中國的韻最寬，句尾用韻眞是極容易的事，所以古人有「押韻便是」的挖苦話。押韻乃是音節上最不重要的一件事。至於句中的平仄，也不重要。古詩「相去日已遠，衣帶日已緩。浮雲蔽白日，游子不顧返。」⑹音節何等響亮？但是用平仄寫出來便不能讀了。

平仄仄仄仄，平仄仄仄仄。
平平仄仄仄，平仄仄仄仄。

……（中略）……

詩的音節全靠兩個重要分子：一是語氣的自然節奏，二是每句內部所用字的自然和諧。至於句末的韻腳，句中的平仄，都是不重要的事，語氣自然，用氣和諧，就是句末無韻也不要緊。

……（中略）……

自然的音節是不容易解說明白的。我且分兩層說：

第一，先說「節」——就是詩句裡面的頓挫段落。……新體詩句子的長短，是無定的；就是句裡的節奏，也是依著意義的自然區分來分析的。白話裡的多音字比文言多得多，並且不止兩個字的聯合，故往往有三個字爲一節，或四五個字爲一節的。例如：

萬一——這首詩——趕得上——遠行人。
門外——坐著——一個——穿破衣裳的——老年人。
雙手——抱著頭——他——不聲——不響。
旁邊——有一段——低低的——土牆——擋住了個——彈三絃的人。
這一天——他——眼淚汪汪的——望著我——說道——你如何——還想著我？想著我——你又如何——能對他？

第二，再說「音」，——就是詩的聲調。新詩的聲調有兩個要件：一是平仄要自然，二是用韻要自然。白話裡的平仄，與詩韻裡的平仄有許多大不相同的地方。同一個字，單獨用來是仄聲，若同別的字連用，成為別的字的一部分，就成了很輕的平聲了。例如「的」字，「了」字，都是仄聲字，在「掃雪的人」和「掃淨了東邊」裡，便不成仄聲了。我們簡直可以說，白話詩裡只有輕重高下，沒有嚴格的平仄。例如周啓孟君的兩個掃雪的人（新青年六，三）的兩行：

祝福你掃雪的人

我從清早起，在雪地裡行走，不得不謝謝你。

「祝福你掃雪的人」上六個字都是仄聲，但是讀起來自然有個輕重高下，「不得不謝謝你」六個字又是仄聲，但是讀來也有個輕重高下。又如同一首詩裡的「一面儘掃，一面儘下」八個字都是仄聲，但讀起來不但不拗口，並且有一種自然的音調。白話詩的聲調不在平仄的調劑得宜，全靠這種自然的輕重高下。

至於用韻一層，新詩有三種自由：第一，用現代的韻，不拘古韻，更不拘平仄韻。第二，平仄可以互相押韻，這是詞曲通用的例，不單是新詩如此。第三，有韻固然好，沒有韻也不妨。新詩的聲調既在骨子裡，——在自然的輕重高下，在語氣的自然區分——故有無韻腳都不成問題。……

如周君的兩個掃雪的人中一段：

……一面儘掃，一面儘下；

掃淨了東邊，又下滿了西邊；

掃開了高地，又塡平了窪地。

這是用內部詞句的組織來幫助音節，故讀時不覺得是無韻詩。

內部的組織，——層次，條理，排比，章法，句法，——乃是音節的最重要方法。

我且舉康白情君的送君黃浦一章(2)（草兒在前集一，一二）作例：

送客黃浦，

我們都攀著纜，——風吹著我們的衣裳——

站在沒遮闌的船樓邊上。

看看涼月麗空，

才顯出淡妝的世界。

我想世界上只有光。

只有花，

只有愛！

我們都談著，——

談到日本二十年來的戲劇，
也談到「日本的光，的花，的愛」的須磨子。
我們都相互的看著，
只是壽昌有所思，
他不曾看著我，
他不曾看著別的那一個。
這中間充滿了別意，
但我們只是初次相見。

五

我這篇隨便的詩談做得太長了，我且略談「新詩的方法」作一個總結的收場。有許多人曾問我做新詩的方法，我說，做新詩的方法根本上就是做一切詩的方法；新詩除了「詩體的解放」一項之外，別無他種特別的做法。

這話說得太籠統了。聽的人自然又問，那麼做一切詩的方法究竟是怎樣呢？我說，詩須要用具體的做法，不可用抽象的做法。凡是好詩，都是具體的；越偏向具體的，越有詩意詩味。凡是好詩，都能使我們腦子裡發生一種——或許多種——明顯逼人的影像。這便是詩的具體性。

……（中略）……

現在報上登的許多新體詩，很多不滿人意的。我仔細研究起來，那些不滿人意的都是一個大毛病，——抽象的題目用抽象的寫法。

那些我不認得的詩人做的詩，我不便亂批評。我且舉一個朋友的詩做例。傅斯年君在新潮四號裡做了一篇散文，叫做一段瘋話，結尾兩行說道：

我們最當敬重的是瘋子，最當親愛的是孩子。瘋子是我們的老師，孩子是我們的朋友。我們帶著孩子，跟著瘋子走，走向光明去。

有一個人在北京晨報裡投稿，說傅君最後的十六個字是詩不是文。後來新潮五號裡傅君有一首前倨後恭的詩，——一首很長的詩。我看了說，這是文，不是詩。

何以前面的文是詩，後面的詩反是文呢？因爲前面那十六個字是具體的寫法，後面的長詩是抽象的題目用抽象的寫法。我且抄那詩中的一段，就可明白了：

倨也不由他，恭也不由他！——

你還報他。

向你倨，你也不削一塊肉；向你恭，你也不長一塊肉。

況且終竟他要向你變的，理他呢！

這種抽象的議論是不會成爲好詩的。

再舉一個例。新青年六卷四號裡面沈尹默(7)君的兩首詩。一首是赤裸裸：

人到世間來，本來是赤裸裸，
本來沒有污濁，卻被衣服重重的裹著，這是爲什麼？
難道清白的身不好見人嗎？那污濁的，裹著衣服，就算免了恥辱嗎？

他本想用具體的比喻來攻擊那些作僞的的禮教，不料結果還是一篇抽象的議論，故不成爲好詩。還有一首生機：

刮了兩日風，又下幾陣雪。
山桃雖是開著，卻凍壞了夾竹桃的葉。
地上的嫩紅芽，更殭了發不出。
人人說天氣這般冷，
草木的生機恐怕都被摧折；
誰知道那路旁的細柳條，
他們暗地裡卻一齊換了顏色！

這種樂觀，是一個很抽象的題目，他卻用最具體的寫法，故是一首好詩。

我們徽州俗話說人自己稱贊自己的是「戲臺裡喝采」。我這篇談新詩裡常引我自己的詩做例，也不知犯了多少次「戲臺裡喝采」的毛病。現在且再犯一次，舉我的老鴉做一個「抽象的題目用具體的寫法」的例罷：

我大清早起，
站在人家屋角上啞啞的啼。
人家討嫌我，
說我不吉利：
我不能呢呢喃喃討人家的歡喜！

民八年，十月。

【注釋】

(1)嘗試集──胡適所作，民國八年八月出版，爲我國第一本新詩集。

(2)康白情──早期的新詩作家之一（西元一八九六年生），作品活潑自然，自由而有創意。十一年出版「草兒」詩集，後來分爲「草兒在前」（十二年）和「河上」（十三年）兩集，其中以「草兒在前」、「送客黃浦」、「窗外」三首最有名。

(3)傅斯年──生於西元一八九六年，卒於民國三十九年（西元一九五〇年）。民國七年，與羅家倫等人，以學生身分，在「北京大學」創立「新潮社」，八月一日，創刊「新潮」雜誌，鼓吹新文學。三十八年一月任「臺灣大學」校長，三十九年十二月二十日死於腦溢血。

(4)永定門—以前北京外城之南門，臨近永定河。

(5)俞平伯—西元一八九九年生，新文學運動期間，出版過新詩集「冬夜」等，散文集「劍鞘」等，後來從事紅樓夢之研究。

(6)「相去日已遠」四句—古詩十九首第一首中的四句。去，隔離；緩，寬鬆；顧，思念。末兩句比喻奸邪蒙蔽國君，所以遊子不想回去。

(7)沈尹默—西元一八八二年生，民國七年一月，與胡適之、劉半農一起在「新青年」上發表我國最早的白話詩。

【結構】

請同學依左列表格，歸納本文第「四」節之要點，而後由老師解說新舊詩之差異。

【項目】	【胡適的意見】
一、節	
二、音 1.平仄	
2.用韻	

【討論】

一、胡適本文，主要在說明「詩體的解放」，他所謂的「解放」，是要解除舊詩的那些束縛？（參考二十課）

二、胡適所謂新詩的作法，其要點爲何？請自己作個例子來說明。

三、試以康白情的「送客黃浦」和李白的「黃鶴樓送孟浩然之廣陵」（參考十二課）爲例，比較新舊詩作法的不同。

【附錄】

落葉　劉復

秋風把樹葉吹落在地上，
它只能悉悉索索，
發幾陣悲涼的聲響。
它不久就要化作泥；
但它留得一刻，
還要發一刻的聲響，
雖然這已是無可奈何的聲響了，
雖然這已是它最後的聲響了。

八年，秋　劉復

教我如何不想她

天上飄著些微雲，
地上吹著些微風。
啊！
微風吹動了我頭髮，
教我如何不想她？

月光戀愛著海洋，
海洋戀愛著月光。
啊！
這般蜜也似的銀夜，
教我如何不想她？

水面落花慢慢流，
水底魚兒慢慢游。
啊！
燕子你說些什麼話？

教我如何不想她？

枯樹在冷風裡搖，
野火在暮色中燒。
啊！
西天還有些兒殘霞，
教我如何不想她？

九年，九，四，倫敦。

一八　阿Q正傳

魯　迅

【作者】

魯迅，本名周樹人，浙江紹興人。祖父福清（介孚公）進士出身。父伯宜（本名鳳儀），是會稽學生員，經幾次鄉試，未中式。母魯氏，住紹興安橋頭。外祖號晴軒，是舉人，曾任兵部主事。

清德宗光緒七年（西元一八八一年）八月三日，生於紹興城東昌坊口。

光緒十九年（西元一八九三年），十三歲，祖父下獄，父親生病，家道中落，寄食母家安橋頭的皇甫莊。

光緒二十二年（西元一八九六年），十六歲，父親病逝。

光緒二十三年（西元一八九七年），十七歲，考入南京江南水師學堂。

光緒二十四年（西元一八九八年），十八歲，改入江南陸路學堂附設的礦學堂，學開礦和造鐵路。

光緒三十年（西元一九〇四年），二十四歲，六月，祖父過世；八月，進入日本仙臺醫學專門學校讀書。

光緒三十二年（西元一九〇六年），二十六歲，六月，奉母命回國與山西朱女士結婚，三天後又前往日本。到東京後，終止學醫，研究文藝，據他自己的說法，是因在影片中看到日俄戰爭時，日軍殺害無辜的中國人，才產生了提倡文藝運動，以喚醒民族主義的決心。原本籌辦「新生」雜誌，但是計劃失敗。

光緒三十四年（西元一九〇八年），二十八歲，在東京拜章太炎爲師，並與二弟周作人合譯外國小說，後印成二冊，名「域外小說集」，但每冊只賣了二十本左右。

清宣統二年（西元一九一〇年），三十歲，回國，在杭州任浙江兩級師範學堂生理學、化學教員。

宣統三年（西元一九一一年），三十一歲，改任紹興中學堂教員兼學監。

民國元年（西元一九一二年），三十二歲，元月，應蔡元培之請，到南京任教育部部員。五月初，隨臨時政府抵達北京，在教育部任社教司第一科科長。七月間，蔡元培辭部長職，范源濂長教育部，八月，升周樹人爲該部僉事。此後十四年（到西元一九二五年），他一直擔任僉事職。

民國七年（西元一九一八年），三十八歲，五月十五日，他的第一篇小說「狂人日記」刊載於「新青年」，筆名魯迅。

民國十二年（西元一九二三年），四十三歲，寫作小說「吶喊」和「中國小說史略」上卷。兼北京大學、北京師範大學、北京女子高等師範學校講師。

民國十三年（西元一九二四年），四十四歲，出版小說集「吶喊」，開始有了文名。

民國十四年（西元一九二五年），四十五歲，因參加女師大維持會，八月十四日，被教育總長章士釗免去僉事職，三十一日，赴平政院控告章氏。仍兼北大、北女師大等校講師。

民國十五年（西元一九二六年），四十六歲，三月十日，各國代表向執政府抗議封鎖天津海口。十七日，魯迅往平政院取裁決書，恢復教育部僉事職。十八日，北京各團體代表提出拒絕八國要求的請願，而被段祺瑞政府衛隊屠殺數百人。目擊慘案的魯迅，稱爲「民國以來最黑暗的一天」，寫了「無花的薔薇之二」，二十六日又寫「可慘與可笑」，抨擊執政府之不當。執政府遂下令通緝北京附近的學者、教授、報界人士（魯迅斷定是章士釗在幕後策畫的），魯迅也在通緝名單內，他就離開北京，受林語堂推薦，南下任廈門大學教授。

民國十六年（西元一九二七年），四十七歲，三月，在黃埔軍校演講「革命時代的文學」，公開反對左派的「革命文學」口號。又改任中山大學文學系主任兼教務主任。九月，和許廣平離開廣州，到達上海，遂和許同居。

民國十七年（西元一九二八年），四十八歲，在上海，受到「創造社」領導的「革命文學家」攻擊，罵他爲「封建餘孽」，爲「有閒階級」，他也以尖銳的筆鋒，和罵他的人展開筆戰。五月，中共文化工作者馮雪峰，受「共產黨」指示，出面批評「創造社」一干人，就是爲爭取魯迅投入「左聯」鋪路。九月，「新月」刊載梁實秋的「論魯迅先生的硬譯」和「文學是有階級性的嗎？」兩文，這又是另一場筆戰的開始。

民國十九年（西元一九三〇年），五十歲，三月二日，中共與其同路人在上海成立「中國左翼作家聯盟」，參加者有魯迅、茅盾、周揚、郁達夫……等五十餘人，但實權卻落在周揚手裡，而聽命於「共產黨」。郁達夫首先退出這個聯盟，魯迅雖沒有退出，卻與周揚等對立，不滿「共黨」作家，產生日後反對「國防文學」的論爭。

民國二十四年（西元一九三五年），五十五歲，中共發動所謂「救亡運動」，在文藝政策上取消了「普羅（平民）文學」，而提倡所謂「國防文學」。

民國二十五年（西元一九三六年），五十六歲。周揚未知會魯迅，即解散「左聯」，另組「中國文藝家協會」。七月，魯迅派發表了「中國文藝工作者宣言」，反對「國防文學」的狹隘主張，而提出「民族革命戰爭的大衆文學」的口號。十月十九日，魯迅因長久以來的肺病，死於上海。

魯迅在回國初期，曾一度埋首於國故的整理（如校嵇康集），也譯過一些小說（如一個青年的夢），後來從事於創作，結集出版的有小說集「吶喊」和「彷徨」，散文集「墳」和「熱風」，而以後者的文學色彩較濃，影響也較大，爲他博得寫實主義的文學家的美名。後來的雜文，則流於情緒化的尖酸挖苦。

魯迅青少年時期，由於家道漸衰，過著不幸的生活。僥倖地考進江南路礦學校，接受西方文化，又幸運地被派留日，更擴大了他的視野。他原是接受自然科學洗禮的青年，卻轉而提倡文藝運動，誠如他自己所說，是基於民族主義的立場。但嚴格地說，魯迅不是個思想家，也不是個實地參與行動的革命家，他只是一個藉文藝來反遺老、反復辟、反軍閥、反腐化官僚的文人。這本來就是他改習文藝的目的，倒也無可厚非，可是幼年的家境，和他由日本返國後的遭遇，卻塑造了他急切峻烈的性格，所以他的作品裡，時常夾雜著嘲諷漫罵、尖銳不留情面的筆調（有人稱爲「紹興師爺」式的文筆），加上他放不開功名，急著要達成他的心志，遂落入中共圈套，成爲被利用的工具。

事實上，中共只是要利用魯迅的文名，所以名譽上由他主持「左聯」，卻又把實權交給周揚。尤其在發現魯迅不爲所驅使後，竟又令周揚解散「左聯」，不知會魯迅，實在卑劣。而魯迅自己想必也發現共黨的陰謀，所以在「左聯」時照樣漫罵，「左聯」解散後，不但不加入「文協」，還提出口號與中共對抗。還好死得早，不然遲早必會遭到迫害，可是死後中共卻把他捧爲文藝大師，繼續利用他的文名，可謂諷刺至極，也是文人的一大悲哀。

【題解】

阿Q正傳，原爲民國十年作者應孫伏園先生之邀，在北京晨報副刊發表的一部連載小說，後來收在「吶喊」小說集中。故事的時代是辛亥革命前後，背景是魯鎭趙村的未莊，主人翁就是阿Q（即阿貴Quei的簡稱）。阿Q生活在自我欺騙的世界裡，他出身卑微，任人侮辱，在失敗面前裝作不在乎的樣子，自創所謂「精神勝利法」，以喝酒、賭博，甚至偷竊來麻醉自己，是一個典型的鄉下無賴漢，卻又軟弱無能，既愚蠢又狂妄，既可笑、可憎又可憐。據作者的三弟建人說，在他們家鄉確實有這樣的人，不過作者筆下的阿Q，是觀察許多人之後，熔和塑造出來的形象。（參考〔附錄〕）所以阿Q身上的劣根性，似乎每個人都有一點，卻又沒有那一個人完全像。

這裡選的是其中的二、三章，講的是阿Q的「精神勝利法」，阿Q的特性，在這兩章當中表現得十分突出。

【本文】

第二章　優勝記略

阿Q不獨是姓名籍貫有些渺茫，連他先前的「行狀」⑴也渺茫。因爲未庄的人們之於阿Q只要他幫忙，只拿他玩笑，從來沒有人留心他的「行狀」的。而阿Q自己也不說，獨有和別人口角⑵的時候，間或瞪著眼睛道：

「我們先前——比你闊得多啦！你算是什麼東西！」

阿Q沒有家，住在未庄的土谷祠⑶裡，也沒有固定的職業，只給人家做短工，割麥便割麥，舂米便舂米，撐船便撐船。工作略長久時，他也或住在臨時主人的家裡，但一完就走了。所以，人們忙碌的時候，也還記起阿Q來，然而記起的是做工，並不是「行狀」；一閑空，連阿Q都早忘卻，更不必說「行狀」了。只是有一回，有一個老頭子頌揚說：「阿Q眞能做！」這時阿Q赤著膊，懶洋洋的瘦伶仃的正在他面前，別人也摸不著這話是眞心還是譏笑，然而阿Q很喜歡。

阿Q又很自尊，所有未庄的居民，全不在他眼睛裡，甚而至於兩位「文童」也有以爲不値一笑的神情。夫文童者，將來恐怕要變秀才者也；趙太爺、錢太爺大受居民的尊敬，除了有錢之外，就因爲都是文童的爹爹，而阿Q在精神上獨不表格外的崇奉，他想：我的兒子會闊得多啦！加以進了幾回城，阿Q自然更自負，然而他又很鄙薄⑷城裡人，譬如用三尺長三寸寬的木板做成凳子，未庄叫「長凳」，他也叫「長凳」，城裡人卻叫「條凳」，他想：這是錯的，可笑！油煎大頭魚，未庄都加上半寸長的蔥葉，城裡卻加上切細的蔥絲，他想：這也是錯的，可笑！然而未庄人眞是不見世面的可笑的鄉下人呵，他們沒有見過城裡的煎魚！

阿Q「先前闊」，「見識高」而且「眞能做」，本來幾乎是一個「完人」了，但可惜他體質上還有一些缺點。最惱人的是在他頭皮上，頗有幾處不知起於何時的癩瘡疤⑸。

這雖然也在他身上，而看阿Q的意思，但也似乎以為不足貴的，因為他諱說(6)「癩」以及一切近於「賴」的音，後來推而廣之，「光」也諱，「亮」也諱，再後來，連「燈」「燭」都諱了。一犯諱，不論有心與無心，阿Q便全疤通紅的發起怒來，估量了對手，口訥的他便罵，氣力小的他便打；然而不知怎麼一回事，總是阿Q吃虧的時候多。於是他漸漸的變換了方針，大抵改為怒目而視。

誰知道阿Q採用怒目主義之後，未庄的閑人們便喜歡玩笑他。一見面，他們便假作吃驚的說：

「噲，亮起來了。」

阿Q照例的發了怒，他怒目而視了。

「原來有保險燈在這裡！」他們並不怕。

阿Q沒有法，只得另外想出報復的話來：

「你還不配……」這時候，又彷彿在他頭上的是一種高尚的光榮的癩頭瘡，並非平常的癩頭瘡了；但上文說過，阿Q是有見識的，他立刻知道和「犯忌」有點抵觸，便不再往下說。

閑人們還不完，只撩(7)他，於是終而至於打。阿Q在形式上打敗了，被人揪住黃辮子，在壁上碰了四五個響頭，閑人這才心滿意足的得勝的走了，阿Q站了一刻，心裡想，「我總算被兒子打了，現在的世界眞不像樣……」於是也心滿意足的得勝的走了。

阿Q想在心裡的，後來每每說出口來，所以凡有和阿Q玩笑的人們，幾乎全知道他有這一種精神上的勝利法，此後每逢揪住他黃辮子的時候，人就先一著對他說：

「阿Q，這不是兒子打老子，是人打畜牲。自己說：人打畜牲！」

阿Q兩隻手都捏住了自己的辮根，歪著頭，說道：

「打蟲豸⑻，好不好？我是蟲豸——還不放麼？」

但雖然是蟲豸，閑人也並不放，仍舊在就近什麼地方給他碰了五六個響頭，這才心滿意足的得勝的走了，他以爲阿Q這回可遭了瘟。⑼然而不到十秒鐘，阿Q也心滿意足的得勝的走了，他覺得他是第一個能夠自輕自賤的人，除了「自輕自賤」不算外，餘下的就是「第一個」。狀元也不是「第一個麼」？「你算是什麼東西」呢?!

阿Q以如是等等妙法剋服怨敵之後，便愉快地跑到酒店裡喝幾碗酒，又和別人調笑一通，口角一通，又得了勝，愉快的回到土谷祠，放倒頭睡著了。假使有錢，他便去押牌寶⑽，一堆人蹲在地面上，阿Q即汗流滿面的夾在這中間，聲音他最響。

「青龍四百！」

「咳……開……啦！」莊家揭開盒子蓋，也是汗流滿面的唱。「天門啦……角回啦！人和穿堂空在那裡啦……！阿Q的銅錢拿過來……！」

「穿堂一百——一百五十！」

阿Q的錢便在這樣的歌吟⑾之下，漸漸的輸入別個汗流滿面的人物的腰間。他終於只好擠出堆外，站在後面看，替別人著急，一直到散場，然後戀戀的回到土谷祠，第二天，腫著眼睛去工作。

但眞所謂「塞翁失馬，焉知非福」⑿吧，阿Q不幸而贏了一回，他倒幾乎失敗了。

這是未庄賽神的晚上。這晚照例有一檯戲，戲台左近，也照例有許多賭攤。做戲的鑼鼓，在阿Q耳朵裡彷彿在十里之外，他衹聽得莊家的歌唱了。他贏了又贏，銅錢變成角洋，角洋變成大洋，大洋又成了疊。他興高采烈得非常：

「天門兩塊！」

他不知道誰和誰爲什麼打起來。罵聲打聲腳步聲，昏頭昏腦的一大陣，他才爬起來，賭攤不見了，人們也不見了，身上有幾處痕似乎有些痛，似乎也挨幾拳幾腳似的，幾個人詫異的對他看。他如有所失的走近土谷祠，定一定神，知道他的一堆洋錢不見了。趕賽會的賭攤多不是本村人，還到那裡去尋根柢呢？

很白很亮的一堆洋錢！而且是他的——現在不見了！說是被兒子拿去了吧，總還是忽忽不樂；說自己是蟲豸吧，也還是忽忽不樂：他這回才有些感到失敗的痛苦了。

但他立刻轉敗爲勝了。他擎⒀起右手，用力的在自己臉上連打了兩個嘴巴，熱辣辣的有些痛；打完以後，便心平氣和起來，似乎打的是自己，被打的是另一個自己，不久也就彷彿是自己打了別個一般，——雖然還有些熱辣辣，——心滿意足的得勝的躺下了。

他睡著了。

第三章　續優勝記略

然而阿Q雖然常優勝，卻直待蒙趙太爺打他嘴巴之後，這才出了名。

他付過地保二百文酒錢，忿忿的躺下了，後來想：「現在的世界太不成話，兒子打老子……」於是忽然想到趙太爺的威風，而現在是他的兒子了，使自己也漸漸的得意起來，爬起來——唱著「小孤孀上墳」⒁到酒店去。這時候，他又覺得趙太爺高人一等了。

說也奇怪，從此之後，果然大家也彷彿格外尊敬他。這在阿Q，或者以爲因爲他是趙太爺的父親，而其實也不然。未庄通例，倘如阿七打阿八，或者李四打張三，向來本不算一件事，必須與一位名人如趙太爺者相關，這才載上他們的口碑⒂，則打的既有名，被打的也就托庇有了名。至於錯在阿Q，那自然是不必說。所以者何？就因爲趙太爺是不會錯的。但他既然錯，爲什麼大家又彷彿格外尊敬他呢？這可難解，穿鑿(16)起來說，或者因爲阿Q說是趙太爺的本家，雖然挨了打，大家也害怕有些眞，總不如尊敬一些穩當。否則，也如孔廟裡的太牢(17)一般，雖然與豬羊一樣，同是畜牲，但既經聖人下箸(18)，先儒們便不敢妄動了。

阿Q此後倒得意了許多年。

有一年的春天，他醉醺醺的在街上走，在牆根的日光下，看見王鬍在那裡赤著膊捉蝨子，他忽然覺得身上也癢起來了。這王鬍，又癩又鬍，別人都叫他王癩鬍，阿Q卻刪去了一個癩字，然而非常渺視他。阿Q的意思，以爲癩是不足爲奇的，只有這一部絡腮鬍子，實在太新奇，令他看不上眼。他於是並排坐下去了。倘是別的閑人們，阿Q本不敢大意坐下去。但這王鬍旁邊，他有什麼怕呢？老實說：他肯坐下去，簡直還是抬舉他。

阿Q也脫下破夾襖來，翻檢了一回，不知道因爲新洗呢還是因爲粗心，許多工夫，只捉到三四個。他看那王鬍，卻是一個又一個，兩個又三個，只放在嘴裡嗶嗶剝剝的響。

阿Q最初是失望，後來卻不平了：看不上眼的王鬍尚且那麼多，自己倒反這樣少，這是怎樣的大失體統的事呵！他很想尋一兩個大的，然而竟沒有，好容易才捉到一個中的，恨恨的塞到厚嘴唇裡，狠命一咬，劈的一聲，又不及王鬍響。

他癩瘡疤塊塊通紅了，將衣服摔在地上，吐一口唾沫，說：

「這毛蟲！」

「癩皮狗，你罵誰？」王鬍輕蔑的抬起眼來說。

阿Q近來雖然比較的受人尊敬，自己也更高傲些，但和那些打慣的閑人們見面還膽怯，獨有這回卻非常武勇了。這樣滿臉鬍子的東西，也敢出言無狀麼？

「誰認便罵誰！」他站起來，雙手插在腰間說。

「你的骨頭癢了嗎？」王鬍也站起來，披上衣服說。

阿Q以為他要逃了，搶進去就是一拳。這拳頭還未達到身上，已經被他抓住了，只一拉，阿Q蹌蹌踉踉的跌進去，立刻又被王鬍扭住了辮子，要拉到牆上照例去碰頭。

「君子動口不動手」阿Q歪著頭說。

王鬍似乎不是君子，並不理會，一連給他碰了五下，又用力一推，至於阿Q跌出六尺多遠，這才滿足的去了。

在阿Q的記憶上，這大約要算是生平第一件的屈辱，因為王鬍以絡腮鬍子的缺點，向來只被他奚落，從沒有奚落他，更不必說動手了。而他現在竟動手，很意外，難道真如市上所說，皇帝已經停了考，不要秀才和舉人了，因此趙家減了威風。因此他們也便小覷了他嗎？

阿Q無可適從的站著。

遠遠的走來了一個人，他的對頭又到了。這也是阿Q最厭惡的一個人，就是錢太爺的大兒子。他先前跑上城裡去進洋學堂，不知怎麼又跑到東洋去了，半年之後他回到家裡來，腿也直了，辮子也不見了，他的母親大哭了十幾場，他的老婆跳了三回井。後來，他的母親到處說，「這辮子是被壞人灌醉了酒剪去的。本來可以做大官，現在只好等留長再說了。」然而阿Q不肯信，偏稱他「假洋鬼子」，也叫做「裡通外國的人」，一見他，一定在肚子裡暗暗的咒罵。

阿Q尤其「深惡而痛絕之」的，是他的一條假辮子。辮子而至於假，就是沒有了做人的資格；他的老婆不跳第四回井，也不是好女人。

這「假洋鬼子」近來了。

「禿兒。驢……」阿Q歷來本只在肚子裡罵，沒有出過聲，這回因為正氣忿，因為要報仇，使不由的輕輕的說出來了。

不料這禿兒卻拿著一支黃漆的棍子——就是阿Q所謂哭喪棒——大踏步走了過來。阿Q在這剎那，便知道大約要打了，趕緊抽緊筋骨，聳了肩膀等候著，果然，拍的一聲，似乎確鑿打在自己頭上了。

「我說他！」阿Q指著近旁的一個孩子、分辯說。

拍！拍拍！

在阿Q的記憶上，這大約要算是生平第二件的屈辱⒆。幸而拍拍的響了之後，於他倒似乎完結了一件事，反而覺得輕鬆些，而且，「忘卻」這一件祖傳的寶貝也發生了效力，他慢慢的走，將到酒店門口，早已有些高興了。

但對面走來了靜修庵裡的小尼姑。阿Q便在平時，看見伊也一定要唾罵，而況在屈辱之後呢？他於是發生了回憶，又發生了敵愾⒇了。

「我不知道我今天爲什麼這樣晦氣，原來就因爲見了你！」他想。

他迎上去，大聲的吐一口唾沫：

「咳，呸！」

小尼姑全不睬，低了頭只是走。阿Q走近伊身旁，突然伸出手去摩著伊新剃的頭皮，獃笑著，說：「禿兒！快回去，和尚等著你……」

「你怎麼動手動腳……」尼姑滿臉通紅的說，一面趕快走。

酒店裡的人大笑了。阿Q看見自己的勛業㉑得了賞識，便愈加興高采烈起來。

「和尚動得，我動不得？」他扭住伊的面頰。

酒店裡的人大笑了。阿Q更得意，而且為滿足那些賞鑒家(22)起見，再用力的一擰，才放手。

他這一戰，早忘卻了王鬍，也忘卻了假洋鬼子，似乎對於今天的一切「晦氣」都報了仇；而且奇怪，又彷彿全身比拍拍的響了之後更輕鬆，飄飄然的似乎要飛去了。

「這斷子絕孫的阿Q！」遠遠地聽得小尼姑的帶哭的聲音。

「哈哈哈！」阿Q十分得意的笑。

「哈哈哈！」酒店裡的人也九分得意的笑。

【注釋】

(1)行狀——一稱「行述」，原為敘述死者生平事跡的文字。這裡指他的家世、來歷。

(2)口角——和別人爭辯是非曲直，就是相罵的意思。

(3)土谷祠——谷，通穀字；土穀祠，即祭祀土地神穀神的地方。

(4)鄙薄——輕視、瞧不起。

(5)癩瘡疤——因生癬疥而毛髮脫落所留下的疤痕。

(6)諱說——忌諱而不肯說及。

(7)撩—挑撥。
(8)豸—音ㄓˋ，有腳的蟲。
(9)瘟—音ㄨㄣ，原爲急性傳染病，這裡指災禍。
(10)押牌寶—賭博的一種。
(11)歌吟—參加賭博時，口中唸吟有辭，希望自己所押的牌能如期出現。
(12)塞翁失馬—典出淮南子，是說邊塞地方，有一位擅長道術的老翁，他的一匹馬逃入胡中，別人替他惋惜，他卻說是福。幾個月後，那匹馬領著胡人的駿馬回來，別人向他道喜，他卻說是禍；後來他的兒子騎那匹駿馬，果然跌斷了髀骨。別人又去慰問，他卻說是福；過了一年，胡人入侵，塞上的壯丁去應戰的死了十之八九，只有老翁的兒子殘廢得免死。後來便以塞翁失馬，比喻因禍得福。
(13)擎—音ㄑㄧㄥˊ，舉起。
(14)小姑孀上墳—地方小調之類。
(15)口碑—大多數人的稱道傳說。
(16)穿鑿—鑿，音ㄗㄨㄛˋ；牽強求合於義理。
(17)太牢—指用牲畜爲祭品；牛、羊、豬三牲齊備，稱爲太牢。
(18)下箸—箸，音ㄓㄨˋ，筷子；下箸，就是動筷子、吃過的意思。
(19)第一件屈辱—是被王鬍子狠狠地揍了一頓。
(20)敵愾—愾，憤怒；敵愾，即「敵其所愾」，謂抵禦所恨怒的敵人。
(21)勛業—勛，同「勳」；勛業，功業。這裡指阿Q戲弄小尼姑，他自認爲是功勞一件。

(22)賞鑒家——指那些旁觀者。

【附錄】

用簡要的文字整理出後表提示的資料。

打阿Q的人
身分
何以打他
如何辱他
阿Q如何勝利

【討論】

一、讀完這兩章小說後，能否對魯迅所謂的「優勝」二字提出適切的答案？
二、這兩章小說表現了阿Q的那些性格？
三、阿Q在人們心目中的地位如何？
四、辱打阿Q的人具有那些性格？
五、阿Q與打他的人在性格上是否有相同之處？
六、透過打阿Q的人，作者是否也諷刺著什麼？
七、這兩章小說中，描寫了許多有趣的具體事件，試著模仿其筆法，自己創一個例子來說明「精神勝利法」。

【附錄】

略講關於魯迅的事

喬峰（周建人）

「他是一個羞澀，軟弱，講話說不出口的人。親戚家把他養到十多歲後，給他去學生意；數個月後，被回覆了，把他薦到另一家去，結果也是相同。親戚把他送還給他的本家。本家起初也給他薦生意，但不久總又跑出來。查考起來，他沒有什麼過錯，起初也是肯做事情的，不過經過一個時期，有些不願意了。再後，遇著一些細故，他便睡著不再起來。數天之後，如果餓極了，他會起來偷吃一頓冷飯再睡下，於是整日整夜的打呃逆，打得令別人著慌。所以，數個月後，店家照例把他送走了事。至於他有什麼過失嗎？卻沒有什麼。

他從典當裡走到布店，再到藥店裡，總是不久就走出來。於是叫他做小生意，以至於賣大餅油條。開頭總是勤儉的，過一個時候照例不願意了；終於躺下來，起初把剩的大餅油條吃了，以後直挺挺的餓著。過一個時期一定這樣餓一次，一次好幾天。

後來又給人家幫過忙，做些比較輕便的事情。不過他又學會了喝酒。酒一喝，性情就變了，本來是有話說不出口的，酒後便會大聲『罵山門』；本來是見人很羞澀的，喝了酒，便會向娘姨跪下去，連聲哀求道：『你給我做老婆！你給我做老婆！』

他罵山門，他求愛，無論是對寡婦或有丈夫的女人，結果往往所得的祇是著打。與人相打也總是吃虧的。一場打後，他受了傷，勝者走了，他個人發著牢騷。有時指手畫腳還在罵，別人以為他打勝了，但見他面上一塊青，頭上一塊腫，帶著創傷的又是他。第二天，酒已醒了，仍然變爲差澀，有話訥訥說不出口的人。還記得昨天被打的事情嗎？沒有人知道。因爲他從來不把被打受虧的事情去告訴過別人。既不邀人打還，也從不圖報復——除卻下次喝酒之後再罵山門時，他會提起往事，說不怕與人打一打云。然而這樣的情形也是很少的。

因爲有些地主階級很快的沒落，破產，阿Don的本家也漸漸分散。他更失了依靠。他雖然有時候被本家所打，可是一方面也還有便利之處。比方他餓著睡著死挺著的時候，本家少不得總得去給他一點錢，勸他起來。現在衹好住到『土穀祠』去了，便是少數的錢也不會再給他，生活必然更沒有依靠了。他曾經做過討老婆的夢，到此分明益發難以成事實了。

地主田多者僱農民當長年，田者少僱忙月，做忙月也是農民，東家有事去幫忙，過後回去種田。這批工人中，有兩個親弟，但性格不同。「兄勤苦做工，沒有嗜好，妻已死去，衹有一個女兒；弟尙未娶親，性好玩耍，不大願意做工作，又喜歡喝點酒，常常向兄要點錢去喝酒。他的『好吃懶做』好像由於他不屑做這種工作，希望謀另外一種生活，但他願做什麼工作，謀什麼生活呢？卻也沒有人知道，因爲他沒有對人講過。但他沒有講過，怎麼說他好像不屑做這等工作呢？因爲從旁的議論上可以看出來的。他有時候有點『花臉』，有點玩世。也有些耐人尋味的舉動，但一時卻記不詳細了，衹好從略。這裡爲什麼把他提出來呢？因爲他名字叫阿貴，Q字是貴字拼音的第一個字母，『阿Q正傳』的作者借用了這Q字，他的性質雖採取得不多，但也採取一點的吧？從沒落的地主階級分子，假如阿Don裡當然也採取一些的。這是我的看法，不知對不對。『阿Q正傳』不是一個實實在在的個人的照相，是觀察了許多人之後，熔和之後塑成功的形像，是創造過了的。」（引自鄭學稼著魯迅正傳）

一九　梧桐樹

豐子愷

【作者】

豐子愷，浙江崇德縣人。

清德宗光緒二十四年（西元一八九八年）生。

民國八年（西元一九一九年），二十二歲，剛從「浙江省立第一師範學校」畢業，即與徐力民結婚。

民國十年（西元一九二一年），二十四歲，赴日本東京留學。

民國十一年（西元一九二二年），二十五歲，任「春暉中學」校長。

民國十四年（西元一九二五年），二十八歲，與夏丏尊等人在上海創辦「立達學園」。

此後先後任教於「上海大學」，「浙江大學」，以及「復旦中學」、「澄衷中學」。

民國三十一年（西元一九四二年），全家遷往重慶，任教於「國立藝術專科學校」，並寫稿賣畫為生，相當清苦。

民國三十四年（西元一九四五年），全家遷到上海。

後來在文革期間，被指為「毒草」而遭批門。

民國六十四年（西元一九七五年），病逝於上海華山醫院，享壽七十八歲。

豐子愷文學、音樂、美術都好，翻譯也頗有收穫，著有「漫畫阿Q正傳」、「音樂入門」、「緣緣堂隨筆」、「西洋美術史」等，並譯有「苦悶的象徵」、「獵人筆記」等。

【題解】

本文選自「豐子愷文選」（洪範書局版），作於民國二十四年（一九三五年）冬天。

民國二十年（一九三一年），作者遭受喪母之痛，辭去工作隱居嘉興，二十三年返回崇德縣石門故里，修建舊宅，並取名「緣緣堂」，堂額出自國學大師馬一浮的手筆，寓佛家緣起緣滅的人間因緣之意。作者在「緣緣堂」安居了五年，直到抗日軍興，才輾轉去了四川重慶。在這段閒居歲月，他完成了許多作品，後來結集命名為「緣緣堂再筆」（民國二十六年，開明書店版。另外，民國二十年在同書店出版了「緣緣堂隨筆」）。本篇就是其中精品之一。

作者深體道家自然的旨趣，和佛家生滅的無常觀點，來寫這篇「梧桐樹」。文章一開始，先描寫梧桐樹的形貌、色澤，再逐漸深入內涵，將造化的神奇力量展露無遺；接著，對大自然生滅的法則有所徹悟，因為所有生命的流轉，任何人都無法左右，只能順應而已。所以詩人、畫家就不必白費力氣，只要靜坐觀看梧桐樹，先從初吐嫩芽，不久綠葉成蔭，轉眼滿園落葉、枝椏蕭索，再捕捉這些變化，構成意象，然後忠實地轉化為作品即可。所以本篇要旨，就是藉著梧桐樹的生滅無常來探索人類生命的意義。雖然文章蘊藏著哲理，即使用流暢寫實的手法，讓人讀後不會產生艱澀難懂的感覺，這就是豐子愷作品的風格。類似這篇文章主題的，尚有「漸」、「阿難」、「楊柳」、「生機」、「晨夢」等篇，若有興趣可以自行閱讀。

【本文】

寓樓的窗前有好幾株梧桐樹。這些都是鄰家院子裏的東西，但在形式上是我所有的。因為牠們和我隔着適當的距離，好像是專門種給我看的。牠們的主人，對於他們的局部狀態也許比我看得清楚；但是對於牠們的全體容貌，恐怕始終沒看清楚呢。因為這必須隔着相當的距離方才看見。唐人詩云：「山遠始為容」(1)我以為樹亦如此。自初夏至今，這幾株梧桐樹在我面前濃妝淡抹，(2)顯出了種種的容貌。

當春盡夏初，我眼看見新桐初乳的光景。那些嫩黃的小葉子一簇簇地頂在禿枝頭上，好像一堂(3)樹燈。又好像小學生的翦貼圖案，布置均勻而帶幼稚氣，植物的生葉，也有種種技巧：有的新陳代謝，瞞過了人的眼睛而在暗中偷換青黃；有的微乎其微，漸乎其漸，使人不覺察其由禿枝變成綠葉。只有梧桐樹的生葉，技巧最為拙劣，但態度最為坦白。牠們的枝頭疏而粗，牠們的葉子平而大。葉子一生，全樹顯然變容。

在夏天，我又眼看見綠葉成蔭的光景。那些團扇大的葉片，長得密密層層，望去不留一線空隙，好像一個大綠幃，又好像圖案畫中的一座青山。在我所常見的庭院植物中，葉子之大，除了芭蕉以外，恐怕無過於梧桐了。芭蕉葉形雖大，數目不多，那丁香結⑷要過好幾天才展開一張葉子來，全樹的葉子寥寥可數。梧桐葉雖不及牠大，可是數目繁多，那豬耳朵一般的東西，重重疊疊地掛着，一直從低枝上掛到樹頂。窗前擺了幾枯梧桐，我覺得綠意實在太多了。古人說「芭蕉分綠上窗紗」了⑸，眼光未免太低，只是階前窗下的所見而已。若登樓眺望，芭蕉便落在眼底，應見「梧桐分綠上窗紗」。

一個月以來，我又眼看見梧桐葉落的光景。樣子真悽慘呢！最初綠色黑暗起來，變成墨綠；後來又由墨綠轉成焦黃；北風一起，牠們大驚小怪地鬧將起來，大大的黃葉便開始辭枝——起初突然地落脫一兩張來，後來成群地飛下一大批來，好像誰從高樓上丟下來的東西。枝頭漸漸地虛空了，露出樹後面的房屋來，終於只剩幾根枝條，回復了春初的面目，這幾天牠們空手站在我的窗前，好像曾經娶妻生子而家破人亡了的光棍，樣子怪可憐的。我想起了古人的詩：「高高山頭樹，風吹葉落去。一生數千里，何當還故處？」⑹現在倘要搜集牠們的一切落葉來，使牠們一齊變綠，重復夏日的光景，即使仗了世間一切支配者的勢力，盡了世間一切機械的效能，也是不可能的了！迴黃轉綠世間多，但象徵悲哀的莫如落葉，尤其是梧桐的落葉。落花也曾令人悲哀。但花的壽命短促，猶如嬰兒初生即死，我們雖也憐惜他，但因對他關係未久，回憶不多，因之悲哀也不深。葉的壽命比花長得多，尤其是梧桐的葉，自初生至落盡，佔有大半年之久，況且這般繁茂，這般盛大！眼前高厚濃重的幾堆大綠，一朝化為烏有！「無常」的象徵，莫大於此了！

但牠們的主人，恐怕沒有感到這種悲哀。因為他們雖然種植了牠們，所有了牠們，但都沒有看見上述的種種光景。他們只是坐在窗下瞧瞧牠們的根幹，站在階前仰望牠們的枝葉，為牠們掃掃落葉而已，何從看見牠們的容貌呢？何從感到牠們的象徵呢？可知自然是不能被佔有的。可知藝術也是不能被佔有的。

民國二十四年十一月二十八日夜作（選自「豐子愷文選」Ⅲ）

【注釋】

⑴本詩句在寫──山適合遠觀，遠觀才可以看到淡遠縹緲的景致。
⑵濃妝淡抹──形容樹葉從夏天的茂密到冬天的稀疏。
⑶一堂──一處或一排。
⑷丁香結──丁香樹的嫩葉。丁香，灌木名，花瓣白色或紫色，四瓣，是熱帶植物。
⑸這是宋代詩人楊萬里的詩句，描寫芭蕉綠意盎然，映在窗紗的景致。「上」字用得十分傳神，一來有「映於窗紗上」之意，再者有不知不覺「爬上窗紗」之意。前者為寫實法，後者則為擬人法，暗示光陰易逝之感。
⑹古樂府詩，以風吹葉落比喻遊子思鄉的情緒。

【討論】

一、本文藉梧桐樹來呈現人類生命的變化歷程，能否整理出文章中描寫梧桐變化的佳句，並簡要說明代表的意義。
二、請說明豐子愷文藝創作的風格。（參考題解第三段及附錄第一段）

【附錄】

豐子愷的文藝生涯

林敬文

清光緒二十四年（西元一八九八年），在浙江崇德縣的石門灣鎮，降生了一位跨越近代文學、藝術兩界的大人物—豐子愷先生。他生性恬淡，雅好自然，在歷經生活的苦楚，人世的無常後，始終懷著悲天憫人的信念，也不曾忘記思考宇宙的奧秘、生命的本質，由平凡的生活中體會出雋永的情趣。在豐氏現存的一百四十餘篇隨筆，和頗具份量的漫畫中，充分展現其藝術家的敏銳感觸、文學家豐富的想像力，與哲學家的達觀慧識。

豐氏因肺癌卒於上海華山醫院，時當民國六十四年，享壽七十八。在五十多年的教學、譯著、作畫生涯中，影響他最重大的有幾個因素：首先，是他天性愛好藝術。例如「學畫回憶」這篇文章，追憶他小時候在古書上摹印柳宗元像；又用染坊的顏料在人像上着色；也曾替私塾畫過孔子像，懸掛在塾中供師生行禮。甚至有許多同學、鄰居、親戚向他求畫，儼然是位小畫家。由於家道中落，豐氏的母親希望他考上杭州師範，畢業後任小學教員，幫忙家計。後來，他雖然就讀這所學校，卻迷上美術和音樂，心中暗自盤算不當教員了。

其次，由於名師李叔同（後出家，即弘一法師）、夏丏尊對其藝術、文學的啟發，使他進步神速。在

「悼夏丏尊先生」一文中，豐氏提到唸杭州師範時，教他音樂、美術的李叔同，和教國文的夏丏尊，認為李、夏二位先生因博學多能，又同樣瞭解文藝的真諦，所以能引人入勝。並引用夏丏尊的話，說：「李先生教圖畫音樂，學生對圖畫音樂看得比國文、數學等更重要。這是有人格作背景的原故。……這好比一尊佛像，有後光，故能令人敬仰。」當然，夏氏自己也精通詩文、金石、書法、理學、佛典，以至外文、科學等，因此能得到學生的心悅誠服。

第三，豐氏成功的因素來自苦讀。在杭州所學的西洋美術和音樂，充其量只是入門初階，他自認所學不足以教人，在民國十年，二十四歲時，毅然渡海至日本東京。但苦無盤纏，後來，在他岳父還有其他朋友匯款接濟下，總算勉強維持十個月的用度，也無法進入正式的學校。其間，他只花少許金錢去研習會學繪畫和拉提琴，雖然得到的指導有限，但是勤學苦練的結果，仍然進步可觀。只要東京有美展或音樂會，他一定細心去觀賞聆聽，獲益良多。日後，豐氏在國內大、中學校講授音樂和美術課程，並舉行過西畫個展，也參加過音樂會的提琴獨奏，以及創作帶有中國風格、寓意深刻的漫畫，莫不得力於東京十個月的自學苦讀。

豐子愷著作等身，較著名的翻譯和著作，如「西洋美術史」、「西洋畫派十二講」、「音樂入門」、「近代藝術綱要」、「繪畫與文學」等，均曾享譽士林，有的被選為學校教材。本文不打算多談他的學術成就，僅就散文和漫畫方面舉例剖析，讓讀者對豐氏的胸襟氣度，和文藝有初步認識，若有興趣，則可進一步檢閱「緣緣堂隨筆」（開明書店版）、「豐子愷文選」（洪範書店版）

「山中避雨」，寫作者打算和兩個小女孩去遊湖，半途忽然下起雨來，原本掃興至極，卻在小茶店躲雨時，被一種寂寥而深沈的趣味牽引了感興，反而覺得比晴天更饒興味。這不只是隨遇而安的生活哲學，更是由平淡無奇的瑣碎事物中，尋出雋永有味的意義，也就是「看似平常最奇崛」的藝術修養。作者借來胡琴，隨興撥弄，梅花三弄的通俗曲調、漁光曲的流行小曲，小女孩的歌聲、三家村青年的齊唱，一時之間，把這苦雨荒山鬧得十分溫暖。其實，藝術的趣味，本來就是偶然無心間所獲得，它超脫現實的利害，也避免矯揉造作，而是妙手偶得。此外，作者以音樂教師的身分，說：「倘能多造幾個簡易而高尚的胡琴曲，使像『漁光曲』一般地流行於民間，其藝術陶冶的效果恐比學校的音樂課廣大得多呢。」這真是別具慧眼的論調啊！

「梧桐樹」是民國二十四年隆冬時節所作。在此四年前，作者遭喪母之痛，後來返回石門故里，修建住宅，取名「緣緣堂」，堂額出自馬一浮手筆，寓緣起緣滅的人生種種因緣之意。本篇就是這段閒居日子裏的精品之一。作者深體道家自然的旨趣，與佛家生滅的無常觀，先描寫梧桐樹的形貌、色澤，再深入內涵，把大自然的神奇一展無遺；接著，他對大自然生滅的法則有著徹悟，因為生命的流轉不是任何人所能左右，所以詩人、畫家不必白費力氣，只要靜坐觀看綠葉成蔭，瞬間滿階落葉，枝椏蕭索，然後忠實地記錄下心中的感受即可。這就是藉由無常的梧桐樹思索生命的意義。類似這個主題的，尚有「漸」、「阿難」、「楊柳」、「生機」、「晨夢」等篇。

「兒女」是寫豐氏從上海租寓，把一群兒女送回鄉間，好讓自己清靜些，但回想起來，只是自騙自擾，徒然增加心頭的負擔而已。其實，作者對兒童充滿情感，那是智者對天真的讚頌，如同古人所說的「不失赤子之心」。篇中說：「天地間最健全的心眼，只是孩子們的所有物，世間事物的真相，只有孩子們能最明確、最完全地見到。我比起他們來，真的心眼已經被世智塵勞所蒙蔽，所斲喪，是一個可憐的殘廢者了。」作者深覺成人世界的矯飾、虛偽，遠離自然，使這個世界越來越醜陋，他相信唯有純真才可醫治這個病態。文末說：「近來我的心為四事所占據了：天上的神明與星辰，人間的藝術與兒童。這小燕子似的一群兒女，是在人世間與我因緣最深的兒童，他們在我心中占有與神明、星辰、藝術同等的地位。」類似這個主題的，尚有「憶兒時」、「作父親」、「給我的孩子們」、「送阿寶出黃金時代」等篇。豐子愷的赤子之心，表現最為具體的，莫過於那篇篇有味的童話故事集「博士見鬼」（凡十二篇，出版於一九四八年）。故事中，無論低等動物的貓、鵝、蜜蜂，甚至無知的草木花卉，都化成了有情世界，其成長生死皆在宇宙變動之中，也都是豐氏所關懷的對象。

最後，介紹豐子愷的漫畫，其特色為：看似寥寥數筆，細加咀嚼，卻含不盡的餘味。其先後出版的畫集，計有：「子愷漫畫」、「子愷畫集」（共六集）、「護生畫集」（共三集）、「阿Q正傳畫集」、「繪魯迅小說」（四集），另散見於當時各報紙刊物。豐氏取材日常生活中所見所聞所思所感，縱然有些帶著諷刺意味，也往往是含而不露，寓有深刻的人文精神。例如「兒童畫」一文中，作者說孩童繪畫的天分，常表現在牆壁、門窗的塗鴉上，然而大人的喝斥禁止，卻不一定能解決問題。他認為「孩子們的壁畫往往比學校裏的美術科的圖畫成績更富於藝術的價值。因為這是出於自動的，不勉強，不做作，始終伴著熱烈的興趣而描出。故其畫往往情景新奇，大膽活潑，為大人們所見不到，描不出。」如果大家能正視這個問題，並給予適當的指導和培養，而不是扼殺其性靈，則藝術教育的前景必定光明遠大。

（載於一九九二年十月二十日四海校刊第三版）

二〇 一桿『稱仔』

賴和

【作者】

賴和，本名賴癸河，一名賴河，字懶雲，筆名有：甫三、安都生、灰、走街仙等。台灣彰化人。

清德宗光緒二十年（西元一八九四年）五月二十八日，賴和出生在彰化一個貧窮家庭，父親賴天送，母戴允。這一年爆發中日「甲午戰爭」，清廷戰敗。

光緒二十一年（西元一八九五年），二歲。中日簽訂「馬關條約」，台灣被割讓給日本。

光緒二十九年（西元一九〇三年），十歲。進入公學校，接受日本教育。（編者按：公學校相當於現在的「國民小學」，是日據時代給台灣人讀的；至於提供給在台的日本人讀的同級學校則稱為「小學校」，兩者待遇有別。）

光緒三十三年（西元一九〇七年），十四歲。進入小逸堂，拜黃倬其先生為師，學習漢文，奠定良好的古典文學基礎。

宣統元年（西元一九〇九年），十六歲。就讀台灣總督府醫學校（台大醫學院前身）。

民國三年（西元一九一四年），二十一歲。醫學校畢業，在嘉義病院（醫院）實習。

民國四年（西元一九一五年），二十二歲。與同鄉西勢仔庄人王草小姐結婚。翌年，在彰化市仔尾開設「賴和醫院」。

民國七年（西元一九一八年），二十五歲。渡海前往福建廈門，在鼓浪嶼的博愛醫院工作。翌年，由廈門返台，繼續在彰化行醫。

民國十年（西元一九二一年），二十八歲。加入以林獻堂和蔣渭水為代表的「台灣文化協會」，並當選為理事。

民國十二年（西元一九二三年），三十歲。十二月，日本人以「治安警察法違犯事件」，把賴和、蔣渭水、蔡惠如等四十一人逮捕入獄。這次入獄，讓賴和對日本殖民體制有了更深刻的體認。

民國十四年（西元一九二五年），三十二歲。爆發彰化「二林事件」，賴和寫新詩聲援。（編者按：這是他發表在「台灣民報」的作品，也是第一首新詩，題目為〈覺悟下的犧牲——寄二林事件的戰友〉。）

同年稍前，也在「台灣民報」發表第一篇白話散文〈無題〉。

民國十五年（西元一九二六年），三十三歲。在「台灣民報」發表第一篇小說〈鬥鬧熱〉（按：即湊熱鬧）。稍後，又發表小說〈一桿『稱仔』〉。

民國二十八年（西元一九三九年），四十六歲。因病患感染了傷寒，未依法申報而被迫停業半年，不准執業。於是利用空閒，先赴日本，再轉東北、北平各地去遊歷。

民國三十年（西元一九四一年），四十八歲。十二月八日，日本人以「思想問題」為由，將賴和逮捕入獄。在獄中用草紙寫成〈獄中日記〉，反映被殖民統治下無語問蒼天的悲情。隔年一月，因病重出獄。

民國三十二年（西元一九四三年）一月三十一日逝世，年五十歲。出殯當天，鄉人盈街痛哭，送葬人絡繹不絕。由於賴和生前行醫，治人無數；遇到窮人來看病，分文不收，因此被譽為「彰化媽祖」—仙醫。

綜觀賴和一生，除了行醫濟世外，並且從事文學創作以喚醒台灣百姓的靈魂。他的作品，取材廣泛，風格寫實，且具有鄉土色彩；主題在反抗殖民統治的不公不義，批評舊社會的黑暗面，並尖銳地批判違反善良人性的一切，充分發揮了人道主義的精神。由於他先後主編過《台灣新民報》、《南音》、《台灣新文學》等文藝欄，曾經替台灣文壇栽培了一批優秀作家，加上自己的作品也受到高度肯定和推崇，所以被尊稱為「台灣新文學之父」。著作包括舊詩、新詩、散文、小說和日記等。目前整理成集出版的有：《賴和先生全集》、《賴和手稿集》、《賴和小說集》、《賴和全集》等。並於一九九四年成立「財團法人賴和文教基金會」，一九九五年在他早年的診所原址興建完成「賴和紀念館」。

【題解】

本課選錄自刊載於《台灣民報》九十二、九十三號（西元一九二六年二月十四日、二十一日）。由於本文參着台語語法，因此有些句子並不流暢，甚至有點拗口，例如「始能度那近於似人的生活」即是。當然，這類例子確實存在，卻是瑕不掩瑜。因為讀賴和的作品，要從他的高尚人格、思想情操及人道關懷出發，並深入探索作品所呈現的時代意義和社會面向，才能獲得作品的神髓而不會寶山空回了。

故事一開始，先交待秦得參的家世，他自幼父親過世，依賴母親撫養長大，好不容易娶妻生子，正想承歡膝下，無奈慈母隨後辭世，他的幸福也一併失去了。後來，夫妻二人為了生計，就跟鄰人借稱仔賣菜，本來以為在農曆春節前可以賺些錢好好過年，誰料到老天作弄人，半路殺出個日本巡警，隨便以「稱仔不好」的理由，把他送入監獄，讓他空歡喜一場。這由喜轉悲的意外，道出了殖民統治者的強勢，可以任意曲解法令，而被統治者只能默默接受，顯得十分無奈。而故事以「稱仔」作為秦得參被陷害入獄的工具，「稱仔」是「度量衡」，是「法」（標準）的象徵，但是作者有意告訴我們，「法」的制訂和解釋並非可憐的小老百姓所能過問的，只有統治者才有這個權力。由於無法透過司法討回公道，作者在小說結局描述了巡警被擊殺，秦得參也自殺同歸於盡，留下無限的想像空間，那就是為了維護人性尊嚴和基本生存權，控訴殖民統治的不公不義，揭露社會黑暗面，所付出的慘痛代價啊！

此外，故事安排秦得參的老婆回娘家去跟大嫂借了一根金花，拿去典當暫作資本。後來「稱仔」被巡警當街折斷，也要買一桿新的還給鄰人。所以贖回金花、買新「稱仔」就成為秦氏夫婦的急切任務，因為他們信守承諾，是不須要任何「法」的規範。相較於那殖民者制訂法又玩弄法的不負責任，真是諷刺到極點啊！

【本文】

鎮南威麗村裡，住的人家，大都是勸儉、耐苦、平和、從順的農民。村中除了包辦官業的幾家勢豪，從事公職的幾家下級官吏，其餘都是窮苦的佔多數。

村中，秦得參的一家，尤其是窮困的慘痛，當他生下的時候，他父親早就死了。他在世，雖曾贌(1)得幾畝田地耕作，他死了後，只剩下可憐的妻兒。若能得到業主的恩恤，田地繼續租給他們，雇用工人替她們種作，猶可得稍少利頭，以維持生計。但是富家人，誰肯讓他們的利益，給人家享。若然就不能成其富戶了。所以業主多得幾斗租穀，就轉贌給別人。他父親在世，汗血換來的錢，亦被他帶到地下去。他母子倆的生路，怕要絕望了。

鄰右看她母子倆的孤苦，多為之傷心，有些上了年紀的人，就替他們設法，因為餓死已經不是小事了。結局因鄰人的做媒，他母親就招贅一個夫婿進來。本來做後父的人，很少能體恤前夫的兒子。他後父，把他母親亦只視作一種機器，所以得參，不僅不能得到幸福，又多挨些打罵，他母親因此和後夫就不十分和睦。

幸他母親，耐勞苦、會打算，自己織草鞋、蓄雞鴨、養豚，辛辛苦苦，始能度那近於似人的生活。好容易，到得參九歲的那一年，他母就遣他，去替人家看牛，做長工。這時候，他後父已不大顧到家內，雖然他們母子倆，自己的勞力，經已可免凍餒的威脅。

得參十六歲的時候，他母親教他辭去了長工，回家裡來，想贌幾畝田耕作，可是這時候，贌田就不容易了。因為製糖會社，糖的利益大，雖農民們受過會社刻虧、剝奪，不願意種蔗，會社就加上租聲(2)向業主爭贌，業主們若自己有利益，那管到農民的痛苦，田地就多被會社贌去了。有幾家說是有良心的業主，肯租給農民，亦要同會社一樣的「租聲」，得參就租不到田地。若做會社的勞工呢？有同牛馬一樣，他母親又不肯，只在家裡，等著做些散工。因他的氣力大，做事勤敏，就每天有人喚他工作，比較他做長工的時候，勞力輕省，得錢又多。又得他母親的刻儉，漸積下些錢來。光陰似矢，容易地又過了三年。到得參十八歲的時候，他母親唯一未了的心事，就是為得參娶妻。經她艱難勤苦積下的錢，已夠娶妻之用，就在村中，娶了一個種田的女兒。幸得過門以後，和得參還協力，到田裡工作，不讓一個男人。又值年成好，他一家的生計，暫不覺得困難。

得參的母親，在他二十一歲那年，得了一個男孫子，以後臉上已見時現著笑容，可是亦已衰老了。她心裡的欣慰，使她責任心亦漸放下，因為做母親的義務，經已克盡了。但二十年來的勞苦，使她有限的肉體，再不能支持。亦因責任觀念已弛，精神失了緊張，病魔遂乘虛侵入，病臥幾天，她面上現著十分滿足、快樂的樣子歸到天國去了。這時得參的後父，和他只存了名義上的關係，況他母已死，就各不相干了。

可憐的得參，他的幸福，已和他慈愛的母親，一併失去。

翌年，他又生下一女孩子。家裡頭因失去了母親，須他妻子自己照管，並且有了兒子的拖累，不能和他出外工作，進款就減少一半，所以得參自己不能不加倍工作，這樣辛苦著，過有四年，他的身體，就因過勞，伏下病根。在早季收穫的時候，他患著瘧疾，病了四、五天，才診過一次西醫，花去兩塊多錢，雖則輕快些，腳手尚覺乏力，在這煩忙的時候，而又是勤勉的得參，就不敢閑著在家裡，亦即耐苦到田裡去。到晚上回家，就覺得有點不好過，睡到夜半，寒熱再發起來，翌天已不能離床，這回他不敢再請西醫診治了。他心裡想，三天的工作，還不夠吃一服藥，那得那麼些錢花？但亦不能放他病著，就煎些不用錢的青草，或不多花錢的漢藥服食。雖未全都無效，總隔兩三天，發一回寒熱，經過有好幾個月，才不再發作。但腹已很脹滿。有人說，他是吃過多的青草致來的，有人說，那就叫脾腫，是吃過西藥所致。在得參總不介意，只礙不能工作，是他最煩惱的所在。

當得參病的時候，他妻子不能不出門去工作，只有讓孩子們在家裡啼哭，和得參呻吟聲相和著。一天或兩餐或一餐，雖不至餓死，一家人多陷入營養不良，尤（猶）其是孩子們，猶幸他妻子不再生育……

一直到年末。得參自己，才能做些輕的工作，看看尾衙⑶到了，尚找不到相應⑷的工作，若一至新春，萬事停辦了，更沒有做工的機會，所以須積蓄些新春半個月的食糧，得參的心裡，因此就分外煩惱而恐惶了。

末了，聽說鎮上生菜的販路⑸很好。他就想做這項生意，無奈缺少本錢，又因心地坦白⑹，不敢向人家告借，沒有法子，只得教他妻到外家走一遭。

一個小農民的妻子，那有闊的外家，得不到多大幫助，本是應該情理中的事，總難得她嫂子，待她還好，把她唯一的裝飾品——一根金花⑺——借給她，教她去當鋪裡，押幾塊錢。暫作資本，這法子，在她當得帶了幾分危險，其外又別無法子，只得從權⑻了。

一天早上，得參買一擔生菜回來，想吃過早飯，就到鎮上去，這時候，他妻子才覺到缺少一桿「稱仔」。「怎麼好？」得參想，「要買一桿，可是官廳的專利品，不是便宜的東西，那兒來得錢？」她妻子趕快到隔鄰去借一桿回來，幸鄰家的好意，把一桿尚覺新新的借來。因為巡警們，專在搜索小民的細故，來做他們的成績，犯罪的事件，發見得多，他們的高升就快。所以無中生有的事故，含冤莫訴的人們，向來是不勝枚舉。

什麼通行取締、道路規則、飲食物規則、行旅法規、度量衡規紀⑼，舉凡日常生活中的一舉一動，通在法的干涉、取締範圍中。——她妻子為慮萬一，就把新的「稱仔」借來。

這一天的生意，總算不壞，到市散，亦賺到一塊多錢，他就先糴⑽些米，預備新春的糧食。過了幾天糧食足了，他就想，「今年家運太壞，明年家裡，總要換一換氣像才好，第一廳上奉祀的觀音畫像，要買新的，同時門聯亦要換，不可缺的金銀紙，香燭、亦要買。」再過幾天，生意屢好⑾，他又想炊一灶年糕，就把糖米買回來。他妻子就忍不住，勸他說：「剩下的錢積積下，待贖取那金花，不是更要緊嗎？」得參回答說：「是，我亦不是把這事忘卻，不過今天才廿五，那筆錢不怕賺不來，就賺不來，本錢亦還在。當鋪裡遲早，總要一個月的利息。」

一晚市散，要回家的時候，他又想到孩子們。新年不能有件新衣裳給他們，做父親的義務，有點不克盡⑿的缺憾，雖不能使孩子們享到幸福，亦須給他們一點喜歡。他就剪了幾尺花布回去。把幾日來的利益，一總花掉。

這一天近午，一下級巡警，巡視到他擔前，目光注視到他擔上的生菜，他就殷勤地問：

「大人⒀，要什麼不要？」

「汝的貨色比較新鮮。」巡警說。

「是，城市的人，總比鄉下人享用，不是上等東西，是不合脾胃。」

得參接著又說：

「花菜賣多少錢？」巡警問。

「大人要的，不用問價，肯要我的東西，就算運氣好。」參說。他就擇幾莖好的，用稻草貫着，恭敬地獻給他。

「不，稱稱看！」巡警幾番推辭著說。誠實的參，亦就掛上「稱仔」稱一稱，說：

「大人，真客氣啦！才一斤十四兩。」本來，經過秤稱過，就算買賣，就是有錢的交關⒁，不是白要，亦不能說是贈與。

「不錯罷？」巡警說。

「不錯，本有兩斤足，因是大人要的……」參說。這句話是平常買賣的口吻，不是贈送的表示。

「稱仔不好罷，兩斤就兩斤，何須打扣⒂？」巡警變色地說。

「不，還新新呢！」參泰然地⒃回答。

「拿過來！」巡警赫怒了。

「稱花⒄還很明瞭。」參從容地捧過去說。巡警接在手裡，約略考察一下說：

「不堪用了，拿到警署去！」

「什麼緣故？修理不可嗎？」參說。

「不去嗎？」巡警怒叱著。「不去？畜生！」撲的一聲，巡警把「稱仔」打斷擲棄，隨抽出胸前的小帳子⒅，把參的名姓、住處，記下。

氣憤憤地，回警署去。

參突遭這意外的羞辱，空抱著滿腹的憤恨，在擔邊失神地站著。等巡警去遠了，才有幾個閒人，近他身邊來。一個較有年紀的說：「該死的東西，到市上來，只這規紀亦就不懂？要做什麼生意？汝說幾斤幾兩，難道他的錢汝敢拿嗎？」

「難道我們的東西，該白送給他的嗎？」參不平地回答。

「唉！汝不曉得他的厲害，汝還未嘗到他，青草膏的滋味⒆。」那有年紀的嘲笑地說。

「什麼？做官的就可任意淩辱人民嗎？」參說。

「硬漢！」有人說。眾人議論一回、批評一回，亦就散去。

得參回到家裡，夜飯前吃不下，只悶悶地一句話不說。經他妻子殷勤的探問，才把白天所遭的事告訴給她。

「寬心罷！」妻子說，「這幾天的所得，買一桿新的還給人家，剩下的猶足贖取那金花回來。休息罷，明天亦不用出去，新春要的物件，大概準備下，但是，今年運氣太壞，怕運裡帶有官符，⒇經這一回事，明年快就出運，亦不一定。」

參休息過一天，看看沒有什麼動靜，況明天就是除夕日，只剩得一天的生意，他就安坐不來，絕早㉑挑上菜擔，到鎮上去。此時，天色還未大亮，在曉景朦朧中，市上人聲，早就沸騰，使人愈感到「年華垂盡，人生頃刻」的悵惘。

到天亮後，各擔各色貨，多要完了，有的人，已收起擔頭，要回去圍爐，過那團圓的除夕，償一償終年的勞苦，享受著家庭的快樂。

當這時參又遇到那巡警。

「畜生，昨天跑那兒去？」巡警說。

「什麼？怎得隨便罵人？」參回說。

「畜生，到衙門去！」巡警說。

「去就去呢，什麼畜生？」參說。

巡警瞪他一眼便帶他上衙門去。

「汝秦得參嗎？」法官在座上問。

「是，小人，是。」參跪在地上回答說。

「汝曾犯過罪嗎？」法官。

「小人生來將三十歲了，曾未犯過一次法。」參。

「以前不管他，這回違犯着度量衡規則。」法官。

「唉！冤枉啊！」參。

「什麼？沒有這樣事嗎？」法官。

「這事是冤枉的啊！」參。

「但是，巡警的報告，總沒有錯啊！」法官。

「實在冤枉啊！」參。

「既然違犯了，總不能輕恕，只科罰(22)汝三塊錢，就算是格外恩典。」官。

「可是，沒有錢，」參。

「沒有錢，就坐監三天，有沒有？」官。

「沒有錢！」參說，在他心裡的打算：新春的閒時節，監禁三天，是不關係什麼，還是三塊錢的用處大，所以他就甘心去受監禁。

參的妻子，本想洗完了衣裳，才到當鋪裡去，贖取那根金花。還未曾出門，已聽到這凶消息，她想：在這時候，有誰可央托㉓，有誰能為她奔走？愈想愈沒有法子，愈覺傷心，只有哭的一法，可以少舒㉔心裡的痛苦，所以，只守在家裡哭。後經鄰右的勸慰、教導，才帶著金花的價錢，到衙門去，想探探消息。

鄉下人，一見巡警的面，就怕到五分，況是進衙門裡去，又是不見世面的婦人，心裡的驚恐，就可想而知了。她剛跨進郡衙的門跟，被一巡警的「要做什麼」的一聲呼喝，已嚇得倒退到門外去，幸有一十四來歲的小使㉕，出來查問，她就哀求他，替伊探查，難得那孩子，童心還在，不會倚勢欺人，誠懇地，替伊設法，教她拿出三塊錢，代繳進去。

「才監禁下，什麼就釋出來？」參心裡，正在懷疑地自問。出來到衙前，看著她妻子。

「為什麼到這兒來？」參對著妻子問。

「聽……說被拉進去……」她微咽著聲回答。

「不犯到什麼事，不至殺頭怕什麼。」參怏怏㉖地說。

他們來到街上，市已經散了，處處聽到「辭年」的爆竹聲。

「金花取回未？」參問她妻子。

「還未曾出門，就聽到這消息，我趕緊到衙門去，在那兒繳去三塊，現在還不夠。」妻子回答他說。

「唔！」參恍然地發出這一聲就拿出早上賺到的三塊錢，給他妻子說：

「我挑擔子回去，當鋪怕要關閉了，快一點去，取出就回來罷。」

圍過爐，孩子們因明早要絕早起來開正㉖各已睡下，在作他們幸福的夢。參尚在室內踱來蹀去。經他妻子幾次的催促，他總沒有聽見似的，心裡只在想，總覺有一種，不明了的悲哀，只不住漏出幾聲的歎息，「人不像個人，畜生，誰願意做。這是什麼世間？活著倒不若死了快樂。」他喃喃地獨語著，忽又回憶到他母親死時，快樂的容貌。他已懷抱著最後的覺悟。

元旦，參的家裡，忽譁然發生一陣叫喊、哀嗚、啼哭。隨後，又聽著說：「什麼都沒有嗎？」「只「銀紙」備辦在，別的什麼都沒有。」

同時，市上亦盛傳著，一個夜巡的警吏，被殺在道上。

後記

這一幕悲劇，看過好久，每欲描寫出來，但一經回憶，總被悲哀填滿了腦袋，不能着筆。近日看到法朗士(28)的克拉格比(29)，才覺這事，不一定在未開(30)的國裡，凡強權行使的地上，總會發生，遂不顧文字的陋劣，就寫出給文家批判。

作於一九二五年十二月四日夜

——原載於《臺灣民報》九十二、九十三號，一九二六年二月十四日、二十一日

【注釋】

(1)賝—租。古代佃農向地主租地，收成時繳穀物給地主。
(2)租聲—租地的代價。
(3)尾衙—一作「尾牙」。民間習俗在農曆十二月十六日，通常商家會宴請僱用的人當作犒賞。
(4)相應—合適。因為先前秦得參得了病，不能再做粗重的工作，所以只好找跟自己身體相應的事做。
(5)生菜的販路—蔬菜的銷路。生菜、販路都是台語。
(6)坦白—指老實而言。
(7)金花—用黃金做成花形的首飾。
(8)從權—暫時變通行事。

(9)規紀—即規則、規矩。
(10)糴—買進穀物，音ㄉㄧˊ。
(11)屢好—台語。越好。
(12)不克盡—意思是「沒能夠盡到（父親的責任）」。
(13)大人—日據時代台灣人對警察、執法者的尊稱，可見人民地位卑微。
(14)交關—台語，交易、關照的合稱，指買賣行為。
(15)打扣—打折扣。
(16)泰然地—內心很安穩的樣子。
(17)稱花—台語。秤上的刻度。
(18)小帳子—指小記事本。
(19)青草藥膏的滋味——形容被拷打的滋味。因為拷打後會腫痛，要貼青草藥膏。
(20)官符—運氣不好而吃上官司。官符本意是古代命相家所謂凶神之一。
(21)絕早—台語，極早、一大早。
(22)科罰—按照法令處罰。科，指法令條文而言。
(22)央托—請託、拜託。央，請求。
(24)少舒—稍微舒解。
(25)小使—日語。工友。
(26)快快—悶悶不樂的樣子。快，音ㄧㄤˋ。

(27)開正—台語。農曆正月初一開門祭神，祈求一年吉祥如意的儀式，通常在凌晨舉行。

(28)法朗士—（Anatole France, 1844-1924）法國小說家，獲得一九二一年諾貝爾文學獎。著名的作品有：《波那爾之罪》、《苔依絲》、《文學生活》等。

(29)克拉格比—是法朗士發表於一九〇一年的短篇小說。內容為一個小菜販遭遇警察誣諂，他想盡辦法替自己找回公道，卻得不到法律的保障。以此指控司法制度的偏頗和虛偽。賴和引這個故事，顯然是在為秦得參這一類人抱不平。

(30)未開—未開化、不開明。

【討論】

一、本篇小說的寫作背景有何特色？所呈現的主題是什麼？

二、「秦得參」的姓名唸起來近似台語「真得慘」，是作者暗示本篇小說主角的悲慘遭遇。請簡要說明他一生的遭遇。

三、小說命名為〈一桿『稱仔』〉，以「稱仔」當作衝突點，引出殖民統治者制訂及解釋「法規」的種種。作者這樣安排有何特殊用意？

【附錄】

關於賴和的作品和〈一桿『稱仔』〉（節錄古繼堂著《台灣小說發展史》頁四四～四五，文史哲出版社，民國八十五年十月印行）

㈠賴和是個文壇多面手。他既是詩人，也是小說家，又是散文家。賴和的創作始於二十年代初，從一九二五年到一九二七年，他先後發表了新詩〈覺悟的犧牲〉和小說〈鬥熱鬧〉、〈一桿『稱仔』〉。他的創作盛期是和臺灣新文學運動的盛期相併行的，集中在三十年代。他的新詩作品感情熾烈，鋒芒犀利，屬於風暴的作品。其主要詩作有：〈流離曲〉、〈生與死〉、〈新樂府〉、〈農民謠〉、〈滅亡〉、〈南國哀歌〉、〈思兒〉、〈低氣壓的山頂〉、〈相思歌〉、〈呆囝仔〉等。他的小說作品主要有：〈鬥熱鬧〉、〈一桿『稱仔』〉、〈不如意的過年〉、〈前進〉、〈蛇先生〉、〈雕古董〉、〈棋盤邊〉、〈辱?!〉、〈浪漫外紀〉、〈可憐她死了〉、〈歸家〉、〈惹事〉、〈豐作〉、〈善訟人的故事〉、〈一個同志的批信〉、〈赴了春宴回來〉等。

㈡賴和是個偉大的現實主義作家，他的創作動機十分清楚，使命感非常強烈。那便是「忠忠實實地替被壓迫民眾去叫喚」，以「民眾的先鋒、社會改善運動的喇叭手」自譽，鼓起最大的勇氣，用自己全身的力氣，去「瞭亮地吹奏激勵民眾前進的進行曲。」賴和生長和創作的年代，正是臺灣民族矛盾高漲，階級矛盾顯露，人民生活在日本帝國主義殘酷的奴役之下和以日本帝國主義為靠山的大地主、地頭蛇和官商嚴酷地剝削迫害之中。天怨人怒，官逼民反，是當時臺灣社會的主要特徵。而臺灣人民當時面臨的兩種敵人、雙重矛盾，又有主次和主僕之分。日本帝國主義是壓榨和殘害臺灣同胞的罪魁禍首，是臺灣同胞不幸命運和一切災難的總根源。而依附於它的一些官商、地頭蛇，扮演着狗腿和打手的角色。因而當時臺灣人民的反抗，除了打擊主要敵人，日本占領者之外，還要對他們的走狗和打手進行揭露。日本帝國主義當時面對決不屈服的數百萬臺灣同胞，除了以大規模的軍事圍剿來消滅武裝起義之外，對臺灣同胞的日常統治也不得不採用地方武力的形式——警察。因而日本警察便成了直接壓迫和殘害臺灣同胞的罪惡工具，成了臺灣老百姓最為痛恨和直接打擊的對象。賴和小說對日本帝國主義的反抗，就主要是通過對日本在臺灣的殖民機器——警察的揭露和打擊進行的。他的短篇小說〈一桿『稱仔』〉，描寫了忠厚老實的臺灣農民秦得參，因生活非常困苦，借了嫂子一件裝飾品——金花，到當舖當了幾個錢作本，去販賣青菜，生意做的還算不錯。但是，突然一天，一個日本警察來到菜攤前，要買他的菜，秦得參開始要無償送給，而日本警察卻裝模作樣要秦得參過秤，忠厚老實的秦得參，有意將兩斤說成是一斤十四兩，以免日本警察找茬。但秦得參卻沒有想到，日本警察叫他過秤是假，用以障人眼目是真。當秦得參把兩斤菜說成一斤十四兩時，日本警察不但沒有好感，反而惱羞成怒地說：「秤仔不好罷？兩斤就兩斤，何須打扣？」於是將他借來的秤咔擦一折兩段，並將他帶到警察局以「違犯着度量衡規則」罪監禁三天。秦得參是個鐵骨錚錚的中年漢子，他受不了民族敵人對自己的侮辱，於是乘夜將日本警察殺死，自己也自殺身亡。秦得參與日本警察同歸於盡的反抗方式雖然並不可取，但在當時的特定歷史條件下，為了洗涮屈辱，報仇雪恨，卻也沒有更佳之法，除非任人擺布。賴和塑造秦得參的形象，當然目的只是號召人們都去和日本占領者同歸於盡，而在反映廣大下層臺灣勞動者不甘受占領者奴役和與敵人誓不兩立的鬥爭精神。

大正十五年二月十四日　臺灣民報　第九十二號

一九三六年《臺灣新文學》

、就產生許多投機家賣女兒賺錢。

今日的臺灣、最普通的結婚、也就三百圓才辦得到、就是招親結婚、至少也就一百圓才能舉行結婚式。因此生計艱難的男子、便不容易得着結婚的機會了。他們能不能養一個女子是第二問題、在這第一關頭的「聘金」和結婚式的費用、他們就做不到了。他們迫於無奈何、祇好做獨身者。有時也不得不去買賣淫的淫女、滿足他們的性慾。有生計艱難的男子、同時有生計艱難的婦女、有獨身的男子、同時有獨身的婦女。這種獨身的婦女就是賣淫婦。在今日的社會上、經濟的權力都集中於幾個資本家、爲貧民

據俄羅斯回來的朋友說：現在俄羅斯的男女的結婚非常容易、男女若要結婚的時候、祇提出一張結婚証、對政府註冊、就成了夫婦、就是沒有對政府註冊、政府也不干涉什麼。

呵！墨守臺灣遺風的老先生們、作何感？辦不到三百圓、一百圓的貧民們作何感？

一桿「稱仔」

懶雲

鎮南威麗村裏、住的人家、大都是勤儉耐苦平和從順的農民。村中除了包辦官業的幾家勢豪、從事公職的幾家下級官吏、其餘都是窮苦的占多數。村中、秦得參的一家、猶其是窮困的慘痛、當他生下的時候、他父親早就死了。他在世、雖曾贌得幾畝田地耕作、他死了後、只剩下可憐的妻兒。若能得到業主的恩恤、田地繼續贌給他們、雇用工人替她們種作、猶可得稍少利頭、以維持生計。但是富家人、誰肯讓他們的利益、給人家享。若然就不能成其富戶了。所以業主多得幾斗租穀、就轉贌給別人。他父親在世、汗血換來的錢、亦被他帶到地下去。他母子倆的生路、怕要絕望了。

隣右看她母子倆的孤苦、多爲之傷心、有些上了年紀的人、就替他們設法、因爲餓死已經不是小事了。結局因隣人的做媒、他母親就招贅一個夫婿進來。本來做後父的人、很少能體恤前夫的兒子。雖後父、把她母親亦只視作一種機器、所以得參、不僅不能得到幸福、又多挨些打罵、她母親因此、和後夫就不十分和睦。

幸他母親、耐勞苦、會打算、自己織草鞋、蓄雞鴨、養豚、辛々苦々、始能度那近於似人的生活。好容易、到得參九歲的那一年、他母就遣她、去替人家看牛、做長工。這時候、他後父已不大顧到家內、雖然他們母子倆、自己的勞力、經已可免凍餒的威脅。

得參十六歲的時候、她母親教他辭去了長工、回家裡來、想贌幾畝田耕作、可是這時候、贌田就不容易了。因爲製糖會社、糖的利益大、雖農民們、受過會社刻虧、剝奪、不願意種蔗、會社就加上租聲、（註方）向業主爭贌、業主們若自己有利益、那管到農民的痛苦、田地就多被會社贌去了。有幾家說是有良心的業主、肯贌給農民、亦要同會社一樣的「租聲」、得參就贌不到田地。若做會社的勞工呢、有同牛馬一樣、他母親又不肯、只在家裡、等着做些散工、因她的氣力大、做事勤敏、就每天有人喚她工作、比較他做長工的時候、勞力輕省、得錢又多。又得他母親的刻儉、漸積下些錢來。光陰似矢、容易地又過了三年。到得參十八歲的時候、她母親唯一未了的心事、就是爲得參娶妻。經她艱難勤苦積下的錢、已够娶妻之用、就在村中、娶了一個種田的女兒。幸得

懶雲（賴和）說部〈一桿『稱仔』〉刊於臺灣民報

應用文—書信、便條及名片

張仁青

第一章　書　信

第一節　書信的意義

書牘爲書信之總稱，乃應用文中最重要之一種。蓋書以代言，言以達意，良朋遠隔，積想爲勞，苟非信札往還，將何以溝通感情，相互存問。若乃三年不見，東山歎遠，五色增采，花箋抒情，使受書者讀之，永留佳象，人生之樂，曷逾於此。漢末阮瑀稱書記翩翩，晉初山濤有山公啓事，文采風流，喧騰衆口。曾國藩以書生總師干，與羣將通書，多自握管，用能上下輯睦，協和有成，卓然號一代中興名臣。論者謂曾氏蓋世之武功，有辭翰之勳績焉。書信之要，從可知矣。故善爲書札者，立意尚簡明，措辭貴得體，格式宜合時。人事紛紜，寸陰尺璧，若意雜辭蕪，則觀者生厭，旨明言暢，則聽者忘疲，此立言之尚簡明也。行輩有尊卑，交誼有深淺，至親無文，語宜質樸，長幼有序，言戒輕佻，或有所諮商，則宜委婉陳說，或有所申辯，則宜虛己剖分，此措辭之貴得體也。稱謂不訛，行款無誤，封緘有法，紙墨相宜，此格式之宜合時也。凡此種種，略事講求，不難諳練。至於性靈溢於紙上，笑語生於毫端，開函則如見其人，雒誦則如聞其語，自非廣涉名篇，勤加練習，神明於規矩之中者，不能至也。

書牘起源於何時，已難稽考，但自有文字後卽有書牘，則可斷言。今所見最早之書牘，爲尚書之君奭篇，乃周公致召公奭之書函。下逮戰國，有樂毅報燕惠王書、魯仲連遺燕將書等。秦時有李斯諫逐客書。漢初有司馬遷報任少卿書、李陵答蘇武書、楊惲報孫會宗書等。東漢以後，作者益衆，佳構紛陳，屈指難數矣。

至於書牘之名稱，向極紛歧，未嘗統一，蓋以年世綿遠，文明日進，所用之材料變，則名稱亦隨之俱變。曾國藩編經史百家雜鈔，列有書牘類，曾作簡明之詮釋云：

書牘類，同輩相告者，經如君奭，左傳鄭子家、叔向、呂相之辭皆是。後世曰書，曰啓，曰移，曰牘，曰簡，曰刀筆，曰帖，皆是。

按呂相之辭，乃指春秋晉卿呂宣子絕秦之外交辭令（詳見左傳成公十三年），並非私人書信，應列入公文書中。而『移』亦非私人書信，其性質與『檄』相近，乃公文書之一種。此蓋曾氏之偶失，無須爲賢者諱也。茲將書牘之別名詳列於後：

(1)**書**　文心雕龍書記篇：『書者，舒也，舒布其言，陳之簡牘。』書牘之名稱紛繁，以『書』最爲世所習用。

(2)**啓**　文心奏啓篇：『啓者，開也。高宗云：「啓乃心，沃朕心」，取其義也。孝景諱啓，故兩漢無稱，至魏國箋記，始云啓聞。』自魏以降，以『啓』代『書』者，時時可見。

(3)**啓事**　作書札白事曰啓事。晉書山濤傳：『濤爲吏部尚書，凡用人行政，皆先密啓，然後公奏，舉無失才，時稱山公啓事。』

(4)**書信**　晉書陸機傳：『機有駿犬，名曰黃耳，甚愛之。旣而羈寓京師，久無家問，笑語犬曰：

「我家絕無書信，汝能齎書取消息不。」犬搖尾作聲，機乃爲書以竹筩盛之而繫其頸，犬尋路南走，遂至其家，得報還洛。其後因以爲常。』此爲書信二字連用之始。

(5)**書疏** 曹丕與朝歌令吳質書：『歲月易得，別來行復四年。三年不見，東山猶歎其遠，況乃過之，思何可支。雖書疏往返，未足解其勞結。』

(6)**書記** 曹丕與朝歌令吳質書：『元瑜書記翩翩，致足樂也。』按記亦書類，書記係同義之複合詞。

(7)**書啓** 歐陽修與陳員外書：『吏以私自達於其屬長，則曰牋記書啓。』古時蓋以施於尊貴者，近世則概指書牘，前清州縣廨署，有專司書啓之事者。

(8)**尺素** 文選飲馬長城窟行：『客從遠方來，遺我雙鯉魚，呼兒烹鯉魚，中有尺素書。』呂向注：『尺素，絹也。古人爲書，多書於絹。』

(9)**雁書** 漢書蘇武傳：『天子射上林中，得雁，足有係帛書，言武等在某澤中。』李白送友人遊梅湖詩：『莫惜一雁書，音塵坐胡越。』

(10)**雁封** 王瑳詩：『雁封歸飛斷，鯉素還流絕。』

(11)**雁帛** 柳貫舟中睡起詩：『江驛北來無雁帛。』

(12)**雁音** 林景熙答柴主簿詩：『銅槃消息無人問，寂寞西樓待雁音。』

(13)**魚雁** 宋无次友人春別詩：『波流雲散碧天空，魚雁沈沈信不通。』琵琶記臨妝感歎：『雁杳魚沈，鳳隻鸞孤。』

(14)雁信　溫庭筠寄湘陰閻少府乞釣輪子詩：『若向三湘逢雁信，莫辭千里寄漁翁。』

(15)雙鯉　韓愈寄盧仝詩：『先生有意許降臨，更遣長鬚致雙鯉。』古人寄書，常以尺素結成雙鯉形，故云。

(16)雙魚　李白贈漢陽輔錄事詩：『漢口雙魚白錦鱗，令傳尺素報情人。』

(17)魚書　韋皐憶玉簫詩：『長江不見魚書至，爲遣相思夢入秦。』

(18)魚素　蔡伸卜算子詞：『望極錦中書，腸斷魚中素。』

(19)魚箋　福惠全書：『暫役魚箋，聊申燕賀。』

(20)尺書　岑參虢州酬辛侍御見贈詩：『相思難見面，時展尺書看。』古時書函長約一尺，故云尺書。下云尺牘、尺簡、尺翰、尺紙、尺楮、尺函，皆此義。

(21)尺牘　漢書陳遵傳：『遵贍於文辭，善書，與人尺牘，主皆藏去以爲榮。』

(22)尺簡　唐書藝文志：『安祿山之亂，尺簡不藏。』

(23)尺翰　陳書蔡景歷傳：『尺翰馳而聊城下。』

(24)尺紙　宋書序傳：『聊因尺紙，使卿等具知厥心。』

(25)尺楮　王邁謝辟不就啓：『敬裁尺楮，往白前茅。』

(26)尺函　福惠全書：『尺函遠錫。』

(27)玉札　對他人書牘之敬稱。皮日休懷華陽潤卿博士詩：『數行玉札存心久，一掬雲漿漱齒空。』

(28)玉函　書牘之美稱。

(29)**玉音** 書牘之美稱。楊億送劉秀州詩：『騎置迢迢阻玉音，左魚江海遂初心。』

(30)**好音** 史可法復多爾袞書：『南中向接好音，法遂遣使問訊吳大將軍。』

(31)**瑤函** 對他人信札之美稱。

(32)**瑤章** 同右。

(33)**瑤札** 同右。宇文融詩：『飛文瑤札降，賜酒玉杯傳。』

(34)**瑤緘** 書札之美稱。羅隱寄黔中王從事詩：『貪將醉袖矜鶯谷，不把瑤緘附鯉魚。』

(35)**華翰** 對他人書札之美稱。劉禹錫謝竇相公啓：『每奉華翰，賜之衷言。』

(36)**簡** 古無紙時，書寫於竹曰簡，於帛曰帖，於版曰牘，亦謂之牒，亦謂之札。說詳朱駿聲說文通訓定聲 世皆沿用為書信之通稱。

(37)**帖** 詳右。

(38)**牘** 詳右。

(39)**牒** 詳右。

(40)**札** 詳右。

(41)**箋** 紙之精緻華美者曰箋，或曰牋，如花箋、錦箋，多供題詠書札之用，故書札通稱曰箋。

(42)**牋** 詳右。

(43)**刀筆** 宋楊億黃庭堅皆自稱其所著之尺牘曰刀筆。按古用竹簡木牘代紙，以木筆沾漆書寫，謬誤者以刀削而除之，後遂以刀筆為書札之代稱，掌案牘之吏曰刀筆吏。

(44)朶雲 書札之美稱。唐韋陟常以五采箋作書，自謂所書陟字若五朶雲，時號五雲體。
(45)雲箋 書札之美稱。按俗稱他人之覆函曰『還雲』，所謂還雲、雲箋，蓋均係自朶雲而引伸者。
(46)緘札 書札之美稱。李商隱春雨詩：『玉璫緘札何由達，萬里雲羅一雁飛。』
(47)華簡 同右。
(48)華札 同右。
(49)琅函 同右。
(50)芝函 同右。
(51)瑤簡 同右。
(52)雲翰 同右。
(53)手書 對他人書札之敬稱。
(54)手札 同右。
(55)手翰 同右。
(56)大札 同右。
(57)惠書 同右。
(58)惠翰 同右。
(59)惠簡 同右。
(60)手筆 同右。後漢書趙壹傳：『報皇甫規書曰：「忽一匹夫，於德何損，而遠辱手筆，追路相尋，誠足愧也。」』

(61) **手畢** 對他人書札之敬稱。爾雅釋器：『簡謂之畢。』郭璞注：『今簡札也。』山谷題跋：『子京別紙多云伏奉手畢，南人謂畢爲筆，因效之。』

(62) **手紙** 日本人稱書札曰手紙（てがみ）。

(63) **慈諭** 對祖父母及父母書札之敬稱。

(64) **手示** 同右。

(65) **手諭** 同右。

(66) **嚴諭** 對祖父及父親書札之敬稱。

(67) **鈞諭** 對尊長書札之敬稱。

(68) **賜書** 同右。

(69) **賜函** 同右。

(70) **手敎** 同右。

(71) **翰諭** 同右。

(72) **翰示** 同右。

(73) **稟函** 對子孫書札之稱。

(74) **來稟** 同右。

(75) **來書** 對卑幼書札之稱。

(76)**來　函**　同右。

以上七十六種書牘之名稱，乃二千餘年來世所習見者，隨時代之變遷，除少數名稱仍爲今人所沿用外，餘多廢置。

第二節　書信的種類

書牘之種類繁多，要而歸之，『對人』『對事』兩大類而已。

一、對　人

㈠**對長輩**　如對父母、祖父母、岳父母、長輩、長官、業師等是。

㈡**對平輩**　如對兄弟姊妹、堂兄弟姊妹、表兄弟姊妹、朋友、同學、同事等是。

㈢**對晚輩**　如對子女、孫曾、姪子女、晚輩、學生等是。

二、對　事

㈠**發抒情感**　如通候、仰慕、求愛等是。

㈡**純粹應酬**　如祝壽、慶賀、慰唁等是。

㈢**實際應用**　如借貸、求職、貿易等是。

㈣**發表議論**　如論學、論事、論立身處世等是。

對人係以發信人之關係而言，對事係以發信人之目的而論，事實上人與事合爲一體，不容分割。書信之對象爲人，且爲特定之人，似宜以人分類爲是。惟寫信之目的在於敘事，無事則不必寫信，故又以事分類爲妥。

第三節　書信的結構

書牘所以代晤談，故晤談之程序，即書牘之結構。假使因事詣人，自宜先通名刺（熟人可免，而改爲敍寒暄。），然後陳其來意，所懷既竭，於是道別而去。本此以觀書牘，大體可分三部分：首爲開頭應酬語，猶敍寒暄也。次爲正文，即書信主體，猶陳來意也。末爲結尾應酬語，猶臨去道別也。茲爲淸晰計，將書牘範例及其結構表列如左：

書牘範例

賀友人當選省議員

某某吾兄左右：敬啓者，不覯
英姿，又經匝月，想念之深，與時俱積。頃披中央日報，欣悉
榮膺臺灣省議會第六屆議員，昭物望於圭璋，騰英聲於冠冕。行見
秉持公意，歡洽輿情，奠民主之初基，展敬恭於　珂里。忝居同窗之末，亦與有榮焉。今後尚祈　不遺

在遠，南針時賜，以匡不逮，實為至望。耑此奉賀，順頌

儷祺。

弟某某謹啓○月○日

伯母前祈叱名請安。

書牘結構

- 前文
  - ①稱　　謂：某某吾兄。
  - ②提 稱 語：左右。
  - ③啓事敬辭：敬啓者。
  - ④開頭應酬語：不覯英姿……與時俱積。
- 正文
  - ⑤書牘主體：頃披中央日報……亦與有榮焉。
- 後文
  - ⑥結尾應酬語：今後尚祈不遺在遠……實為至望。
  - ⑦結尾敬辭：耑此奉賀……順頌儷祺。
  - ⑧署名敬禮：弟某某謹啓。
  - ⑨月　　日：○月○日。
  - ⑩補　　述：伯母前祈叱名請安

上述各部分，往往因人因事，可斟酌情形，予以省略。如家人通信，③④⑥⑩各項，以率真而可省。喪事唁問，③④⑩三項，以哀悼而可省。茲按上列結構次序，略加說明如下：

一、稱謂　此為書牘發端重要部分，所以確定通訊人雙方關係。稱謂一誤，使人有其餘不足觀之感。

聞某大學有一畢業生，函請校長介紹工作，起首卽書『某某校長仁兄大鑒』，似此不可原諒之錯誤，未有不令人噴飯者。如係求職，其結果如何，可以不問而知。又對方有字或號者，須稱其字號，確無字號，始可逕稱其名。

二、**提稱語**　提稱語在『稱謂』之下，表示請求受信人察閱之意，故與『稱謂』均宜適合收信人身分。如對父母當用『膝下』、『膝前』，對業師當用『函丈』、『壇席』，對婦女當用『慧鑒』、『粧次』，對朋友當用『惠鑒』、『足下』。

三、**啓事敬辭**　通常用在『提稱語』之下，爲陳述事情之發語詞。可分去信、回信兩種：普通對祖父母及父母，無論去信、覆信均用『敬稟者』、『敬肅者』。對親友長輩及業師，去信用『敬肅者』、『敬陳者』，覆信用『敬覆者』、『謹覆者』。對平輩去信用『逕啓者』、『茲啓者』，覆信用『逕覆者』、『茲覆者』。對晚輩去信可以不用，覆信可用『茲覆者』、『茲覆如左』之類，非以示敬，特作爲發語詞而已。其實此一項本非必要，現代書信多略而不用。惟有所商請，對長輩用『敬懇者』，對平輩用『茲有懇者』、對晚輩則用『茲有託者』。

四、**開頭應酬語**　在一般正式書信中，通常多有此項，其種類甚多，有表思慕，有敍別情，有頌揚德業，有祝福起居，或切時，或切事。如對男性尊長，則云『仰瞻　仁宇，時切葵忱』。對女性尊長則云『遠隔　慈雲，倍深瞻仰』。對平輩則云『久違　雅範，時切馳思』。對婦女則云『久別　芳儀，時深系念』。

五、**書牘主體**　爲作書主旨，最宜注意，既無定式，亦無定法，如何使意思顯豁，層次分明，端視作者之用心耳。

六、**結尾應酬語**　多寥寥數語，如對長輩則云『乞賜　俞允，無任盼禱』。對平輩則云『臨穎神往，不盡所懷』。對情人則云『紙短情長，欲言難罄』。

七、**結尾敬辭**　可分爲兩部分：一爲敬語，如『肅此』、『專此』之類。二爲問候語，如用『請』字，下宜用『安』字，如『敬請　崇安』、『即請　台安』。如用『頌』字，下宜用『祺』、『祉』、『綏』等字，如『順頌　秋祺』、『即頌　刻祉』、『祗頌　台綏』之類。

八、**署名敬禮**　署名在書牘中爲不可缺少之部分。末尾署名宜與『稱謂』相呼應，所以示通訊人雙方關係。如對父母稱『男』或『女』，對業師稱『受業』或『學生』，對朋友稱『弟』或『妹』。署名下附有敬辭，如對尊親用『敬稟』或『叩稟』，對平輩用『拜啓』或『頓首』，對晚輩用『手啓』或『手泐』。又對家族及關係極親近之人，只署名而不書姓，此外則多全寫姓名。

九、**月日**　月日所以標明發信時間，在書信中亦不可缺。如韓愈姪十二郎既歿，僕人耿蘭之報不知當言月日，致橫生枝節，是其著例。

十、**補述**　書信首尾已完，或有遺漏之事，可於信末補述。開頭可用『再者』、『再啓者』，結尾可用『又啓』、『又及』。然此乃不得已之辦法，鄭重恭敬之信札，以不用爲宜。又時下青年有以英文『P. S』(postscript)代替『補述』者，務須戒絕。至於附帶問候之補述，如『伯父大人前敬祈叱名請安』、『某某姊前煩代致候』、『舍妹囑筆問候』之類，則無論對方身分，均一體適用。

以上書牘結構，大體略備於此，運用之妙，但存乎一心耳。

第四節　書信的術語

書牘為應用文，與人交際，自當從順時宜，但亦不可失之鄙俗。茲為便檢閱參考起見，特將書牘慣用術語分別製表於後，並附加說明。

（一）稱謂

一、家族

稱人	自稱	對他人稱	對他人自稱
祖父、祖母	孫、孫女	令祖、祖母	家祖父、母（或家大父、母）
伯（叔）祖父、母	姪孫、姪孫女	令伯（叔）祖、祖母	家伯（叔）祖、祖母
父、母親	男、女（或兒）	令尊（或尊公或尊翁）、令堂（或尊堂或萱堂）	家父（或君·尊·大人·嚴）、家母（或慈）
伯（叔）父、母	姪、姪女	令伯（叔）、伯母（叔母）	家伯（叔）、伯母（叔母）
兄、嫂（或某哥、某姊）	弟、妹	令兄、嫂	家兄、嫂

弟 弟婦（或某弟妹）	兄 姊	令弟 令弟婦	舍弟 舍弟婦
姊 妹	弟（妹） 兄（姊）	令姊 令妹	家姊 舍妹
夫子（或某哥・某兄・夫君） 某某（單稱名或字）	妻（或妹） 某某（單稱名或字）	某先生 （或尊夫君）	外子 （或某某・拙夫）
吾妻（或某妹・賢妻・愛妻） 某某（單稱名或字）	夫 某某（單稱名或字）	尊夫人（或閫） 嫂	內子（或拙荊・賤內）
兒（或幾兒或某某兒） 吾 女（或幾女或某某女）	父 母	令郎（或公子・郎君・嗣） 嬡（或嬡・愛）	小兒（或小犬・豚犬・賤息・豚兒） 女
賢媳（或某某或某某兒）	父（或愚） 母	令媳	小媳
姪（或賢姪） 某某 姪女（或賢姪女）	伯（叔） 伯母（叔母）	令姪 令姪女	舍姪 舍姪女
孫 幾 孫女（或某某孫孫女）	祖 祖母	令孫 令孫女	小孫 小孫女
賢姪孫 賢姪孫女	伯（叔）祖 伯（叔）祖母	令姪孫 令姪孫女	舍姪孫 舍姪孫女

君舅／君姑（或父親／母親）	媳（或兒）	令舅／令姑	家舅／家姑
伯（叔）翁／姑（或伯（叔）父／母）	姪媳	令伯（叔）翁／姑	家伯（叔）翁／姑

【說　明】

㈠凡尊輩已歿，『家』字應改爲『先』字。自稱已歿之祖父母，爲『先祖父母』或『先王父』、『先祖考』、『先王母』、『先祖妣』。稱已歿之父母，父爲『先父』、『先君』、『先嚴』、『先考』、『先君子』、『先府君』，母爲『先母』、『先慈』、『先妣』。

㈡稱人父子爲『賢喬梓』。對人自稱爲『愚父子』。稱人兄弟爲『賢昆仲』、『賢昆玉』，對人自稱爲『愚兄弟』。稱人夫婦爲『賢伉儷』，對人自稱爲『愚夫婦』。

㈢家族幼輩稱呼，『賢』字大可不用，即媳婦亦可不用。

㈣舅、姑對媳婦，本多自稱愚舅、愚姑，因與舅父或姑母之稱有時相混，故用一『愚』字。其實可自稱父母，或逕寫字號爲宜。

㈤稱已故之兄姊曰『先兄』『先姊』，稱已故之弟妹曰『亡弟』『亡妹』。

二、親戚

稱人	自稱	對他人稱	對他人自稱

姑丈 姑母	姪（或內姪） 姪女（或內姪女）	令姑丈 令姑母	家姑丈 家姑母
外祖父 外祖母	外孫 外孫女	令外祖父 令外祖母	家外祖父 家外祖母
舅父 舅母	甥 甥女	令母舅 令舅母	家母舅 家舅母
姨丈 姨母	姨甥 姨甥女	令姨丈 令姨母	家姨丈 家姨母
表伯（叔）父 表伯（叔）母	表姪 表姪女	令表伯（叔） 令表伯（叔）母	家表伯（叔） 家表伯（叔）母
表舅父 表舅母	表甥 表甥女	令表母舅 令表舅母	家表母舅 家表舅母
岳父 岳母	子壻（或壻）	令岳 令岳母	家岳 家岳母
伯（叔）岳父 伯（叔）岳母	姪壻	令伯（叔）岳 令伯（叔）岳母	家伯（叔）岳 家伯（叔）岳母
姻伯（或叔）父 姻伯（或叔）母	姻姪 姻姪女	令親	舍親
親家（或親家翁） 親家母（或親家太太）	姻弟 姻愚妹（或姻侍生）	令親家（或令親翁） 令親家母（或令親家太太）	敝親家（或敝親翁） 敝親家母（或敝親家太太）

姊丈 姊倩	妹丈 妹倩	表兄 表嫂	內兄 內弟（或弟兄）	襟兄 襟弟	姻兄 姻嫂	賢內姪 賢內姪女	賢外孫 賢外孫女	賢甥 賢甥女	賢壻 賢倩
內弟 姨妹（或妹弟）	內兄 姨姊（或姊兄）	表弟 表妹	妹壻 姊壻	姻愚弟 姻愚兄	姻弟 姻侍生（或姻愚妹）	姑丈 姑母	外祖 外祖母	愚舅 愚舅母	愚岳 愚岳母
令姊丈	令妹丈	令表兄 令表嫂	令內兄 令內弟	令僚壻	令親	令內姪 令內姪女	令外孫 令外孫女	令甥 令甥女	令壻（或令坦倩）
家姊丈 姊夫	舍妹丈 妹夫	家表兄 家表嫂	敝內兄 敝內弟	敝連襟	舍親	舍內姪 舍內姪女	舍外孫 舍外孫女	舍甥 舍甥女	小壻

賢表 姪／姪女	愚表 伯（叔）／伯母（叔母）	令表 姪／姪女	舍表 姪／姪女
賢姻 姪／姪女	愚	令親	舍親

【說　明】

㈠親戚中，『姻伯』、『姻叔』、『姻丈』乃指姻長中無一定稱呼者，如姊妹之舅姑及其兄弟姊妹，兄弟之岳父母及其父母兄弟姊妹，用此稱謂最富彈性。

㈡平輩者皆依表列定稱。

㈢幼輩稱呼『賢姻姪』三字，祇能用於極親近者。普通親戚雖屬晚輩，亦以『姻兄』相稱，而自稱『姻弟』或『姻末』。

三、師友同學

稱　人	自　稱	對他人稱	對他人自稱
太 夫子／師母	門下晚生		
夫子（或吾師・老師）／師母	生（或受業・學生）	令 業師／師母	敝 業師／師母
太世伯（叔） 父／母	世再 姪／女		

世伯（叔）父／世伯（叔）母	世姪／世姪女		
世丈／仁丈	晚		
世兄／世姊（或吾兄／吾姊）	世弟／世妹（或弟／妹）	令友	敝友
學長（或學兄／學姊）	學弟／學妹（或弟／妹）	貴同學	敝同學
同學（或學弟／學妹）	小兄／愚姊（或友生）	令高足	敝門人／敝學生
世講（或世臺／世兄）	愚		

【說　明】

㈠『夫子』二字，常為妻對夫之稱。女學生對師長，則以稱『老師』、『吾師』或『業師』為宜。

㈡世交中伯叔字樣，視對方與自己父親年齡而定，較長者稱『伯』，較幼者稱『叔』。

㈢世交而兼有戚誼者，按尊長年齡比較，稱『太姻世伯（叔）』、『姻世伯（叔）』。

㈣確有世誼關係，年長於己二十歲以上，而行輩不易確定者，稱『仁丈』或『世丈』。

㈤世交平輩中，如係交誼深厚者，可稱『吾兄』、『我兄』，一則表示親近，再則免與通稱晚輩為『世兄』者相混。

㈥對女老師之夫可稱『師丈』或『某（姓）先生』，不可稱『師公』或『師父』。

四、工友

稱人	自稱	對他人稱	對他人自稱
某某（稱名字）	某某（單具名字）	尊紀（或貴价女工友）	某某（或小价敝女工友）

除右列四表外，尙有其他關係之稱謂，如部屬對長官，通常稱『鈞長』或『鈞座』，或稱職銜，如『某公部長』，自稱『職』。如對舊時長官，則自稱『舊屬』。稱他人長官，則在職銜上加『貴』字，如『貴部長』。對他人稱自己長官，則曰『敝部長』。

第五節　書信信箋和信封的寫法

（一）信箋

信箋行款格式，宜注意者，有下列五事：

一、信箋式樣繁多，對尊長或新交，以用中式八行信箋爲宜。弔喪忌用紅色行線。

二、信箋摺疊，先一直摺，次一橫摺，大小略如信封，此爲有禮貌之式樣。若反摺乃以報凶，或表示絕交之用，最宜避忌。

三、信箋繕寫，通幅必有一行到底，不宜行行弔腳。又舊有一字不成行，一行不成頁之說，亦以避免爲宜。其他應偏寫之字，不宜寫在平擡地位，名字不宜拆置兩行，亦應注意。

四、擡寫爲表示尊敬之法。普通有三擡、雙擡、單擡、平擡、挪擡五種。最通用者爲平擡、挪擡。平擡卽涉及受信人時，提行書寫與各行相平。挪擡爲就原行空一格寫，稱自己尊親及受信人子姪輩時用之。惟今人則凡涉及收信人時，率以平擡、挪擡交互使用，亦頗見靈活。

五、字體以楷書小字爲尊敬，行草放大爲簡式。大抵對尊長，字體宜端正，行款宜正直，用於隆重儀式者亦然。此外不妨用行書，切勿近於潦草。

(二) 信　封

信封繕寫款式，宜注意者，有下列四事：

一、信封以中式且中間有長方紅格者最爲適宜，如用西式信封，以純白者爲最大方。如弔喪之信，信封宜用素色，或將長方紅格線條用墨塗黑。

二、字體以端楷表示尊敬。行書放大者，惟用於平輩及後輩。

三、信封可分左右中三路，繕寫時應各依中線，不可偏斜。右路寫受信人地址住所，上端應空二格寫起，字宜緊湊，地址宜詳明。受信人學校、商店等，寫在右路左行或中路右行，字可縮小擠緊。中路中行寫受信人姓名、稱呼、台啓等字樣。自信封上端寫起，至下端爲止，字宜略大，排列宜勻稱。（按此行某某某先生等字，係郵差對受信人之稱謂，不可誤會。）左路寫發信人地址、處所、姓名等。掛號信件尤宜仔細，應自信封上端三分之一處寫起，下空兩字爲止，字宜擠緊。發信月日卽寫在左路之末端，字宜縮小，或寫在背面緘縫中亦可，普通多略去。

四、託人轉達信件，信封繕寫稱謂，皆有定式。大抵託人親交者，中路託致人與受信人宜並寫。但託致人一行，應縮小擠緊，受信人一行，仍宜自上排列到底，以資分別。右路不寫受信人地址，但寫『敬祈』、『敬煩』等字樣。中路託致人用適當稱謂，下加『面塵』、『面陳』、『面呈』、『吉便帶交』、『面交』、『吉便帶致』等字樣，如『某某學長面交』、『某某兄吉便帶致』……等是。受信人則用本人應稱稱謂，例如：『某某家兄親啓』、『家嚴大人安啓』等是。左路發信人應具名，或加對託致人稱謂，下附懇託字樣，例如：『某某敬託』、『弟某某拜干』……等是。又託人飭役送達之信，右路仍書『敬祈』等字，中路右行應提行書明『飭交』字樣，而受信人則用送信人稱呼，例如：『敬祈飭交某某先生啓』是。至派專人投送之信件，右路寫『專呈』、『卽送』等字樣。候回信者，可於左路上端寫『候覆』、『請片』字樣。回信交原送信人帶回者，不寫地址，右路爲『覆呈』、『藉呈』等字樣，中路寫『某某先生惠啓』……等。

茲將信封繕寫款式列舉於後，以備參閱。

106-17

臺北市
羅斯福路四段二號
國立臺灣大學文學院

中國文學系公啟

國立臺灣師範大學沈緘
臺北市和平東路一段一六二號

106-10

236-54

臺北縣土城市
青雲路三八〇巷一號
私立德霖技術學院

趙校長 寧 鈞啟

臺中市國光路一〇九巷三號二樓翁緘

402-54

237-42

臺北縣三峽鎮
光華新村中園街一五六號

閔蜀鵑小姐惠啟

屏東縣新園鄉中山路七十四號邵緘

932-42

106-46

臺北市大安區
師大路九十三巷五號四樓

彭浪博士大啟

花蓮縣光復鄉光復路七十號范緘

976-41

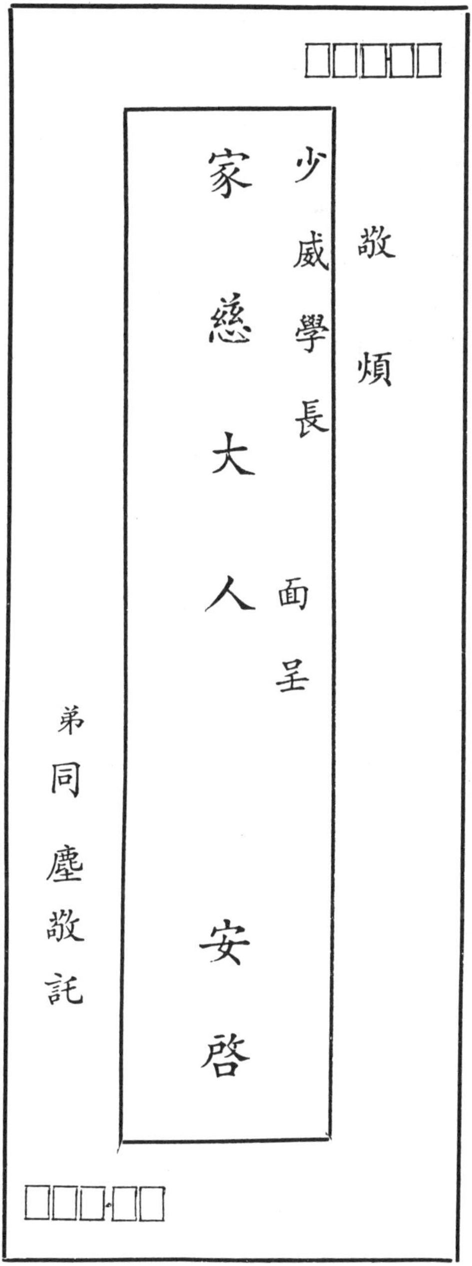

第六節　書信實例

(1)姊寄妹

芬妹：

昨天接到來信，知道一切。你本學期又得到嘉新水泥公司的獎學金，全家人都很高興，希望你能繼續保持這分榮譽，一直到畢業。

聽說你們學校附近又增加許多飲食攤，你一向嘴饞，　媽和我都在躭心你會吃壞肚子。你一個人在外頭求學，生活起居，都必須靠自己照顧，身體如有不適，那就痲煩了。據我所知，攤子的衞生設備很差，是細菌繁殖的溫牀，你還是少去光顧爲妙。姊曾經有過慘痛的教訓，以致現在患了輕微的肝病，我不要你重蹈我的覆轍。

天氣轉涼了，早晚要多添些衣服，以免感冒，而煩勞

爸媽掛念。課餘有便，盼常來信。

爸媽和弟妹都很好，勿念。臨筆匆匆，不盡所懷。順祝

近　好

姊 湘靈手書 十一月廿九日

再者：媽非常盼望你能在元旦假期回家一趟。如無特別事故，務請如期抵家，並順便給　媽買一件上好的旗袍料子，好讓她老人家驚喜一次。又及。

【說　明】

傳統莊重之書信，例用文言，鮮有以語體下筆者。然時移世異，人多忙碌，今人作書欲如曩時之精選美辭，雕琢曼藻，已非時力所許。故現代書信亦步公文之後塵而日趨簡化，例如昔日通行之『三擡』、『雙擡』、『單擡』，所以表示尊敬者，已隨時代之進步而悉遭淘汰，惟餘『平擡』、『挪擡』二種而已。不寧惟是，值此知識爆發、分科日細之時

代，欲使人人具有雕龍繡虎之才，精通文字音韻之學，不特理想過高，抑且無此必要。緣是白話書信乃逐漸流行於今日，此乃時代之趨勢，非任何人所得而挽回者，聽其兩存，並行不悖可也。惟吾人所當注意者，即以語體文寫信，仍須注重格式，不宜作大幅度之變更。若變更過多，漫無規格，甚或稱呼錯誤，反卑爲尊，未有不僨事者，其庸有當乎。須知凡百學術，均應循軌漸進，徐圖變革，切忌盲目躁急，否定傳統，不獨書信爲然也。

今世報章雜誌雖盛行語體文，而公私函牘以至法令規章則仍以淺近文言爲尚。本書所有論述舉例均用文言者，蓋從衆之義耳。惟念青年學子於語體書信，或自我作古，或中西混用，甚且有茫然不知如何下筆者，故前書特以語體行文，藉示一例。

(2) 謀商職

東原經理吾兄台鑒：不通音訊，又歷多時，遙想
鵬圖大展，駿業日隆，定符所祝。弟於去秋奉調金門，戍守前方，醉臥沙場，別饒佳趣。下月初旬服役期滿，即將解甲還鄉。惟念時下人浮於事，欲覓枝棲㊀，殊非易易，瞻望來日，汗不覺發背而沾衣也。
素仰吾
兄交遊廣闊，遐邇景崇，無論人緣信譽，均非儕輩所能企及。倘蒙
不棄，力加吹植㊁，俾得餬口之地，免作浮浪之人㊂。至薪津多寡，職位高卑，概非所計。專此奉託，
靜候
佳音。並頌

弟趙世綱拜啓　五月四日於古寧頭

【注　釋】

㈠枝棲　莊子逍遙遊篇：『鷦鷯巢於深林，不過一枝，偃鼠飲河，不過滿腹。』李義府詠烏詩：『上林無限樹，不借一枝棲。』今謂謀職曰覓一枝棲，本此。

㈡吹植　謂吹嘘枯槁，培植生機。

㈢浮浪之人　謂飄泊不定、無所事事之人。詳見隋書食貨志。梅堯臣聞進士販茶詩：『浮浪書生亦貪利，史笥經箱爲盜囊。』

⑶請人講演

德潤教授有道：儒林雅望，時切心儀，黌宇騰聲㈠，夙殷清慕，雖傾葵有志，而識荊無緣，仰企高門，無任悵惘。本月廿日爲敝社成立十周年紀念，擬請先生作兩小時有關復興中華文化之專題演講，倘蒙不吝玉趾，賜以教言，俾後生得親　謦欬，則一席　麈論㈡，勝讀十年，豈惟社員之幸，實亦横舍之榮㈢。謹肅寸箋，佇候

還翰。敬頌

籌祺

道 綏

國立政治大學文學研究社敬啓 四月十二日

【注 釋】

㈠黌宇 學府之別稱。後漢書儒林傳：『順帝感翟酺之言，乃更修黌宇。』

㈡麈論 對他人言論之美稱。晉書王衍傳：『衍既有盛才美貌，明悟若神，妙善玄言，惟談老莊爲事，每捉玉柄麈尾，與手同色。』按六朝名士淸談時，輒取麈之尾爲拂子，所以指授聽衆也。

㈢橫舍 學府之別稱。後漢書朱浮傳：『先建太學，造立橫舍。』

⑷借款治母病

履公姻伯大人尊鑒：久違

鈞誨，瞻戀殊深，敬維

潭第康寧，福躬安吉，允洽所頌。敬懇者，家母體素羸弱，日前又突嬰胃疾，病勢危篤，呻吟牀蓐，因急送臺大醫院，醫囑須住院開刀診治，全部費用約十萬元。而家中本無積蓄，貴重物品雖典質一空，仍不足所需，用是闔宅徬徨，束手無策。敢懇

姻伯大人始終垂愛，慨借五萬元，俾得早日痊可，優游晚景。一年之後，當連同子金一併奉還。禱盼之私，難宣尺楮。專肅。敬請

崇 安

姻姪女 雁翎拜上 十月十七日

(5)**謝人探病**

公明吾兄
嘉陵大嫂同鑒：此次猥以微疾，住院治療，辱承
關愛，移　玉存問，　寵錫多珍，隆情摯誼，至深銘篆。茲賤軀就痊，已於日昨出院上班，恐勞
厪系，特此奉
聞，並申謝悃。祇候
儷　安

弟江海澄敬啓　十二月五日

擇錄文史哲出版社出版之《應用文》

應用文—書信、便條及名片

張仁青

第二章　便條及名片

第一節　便條的意義

今人常言：『現在的大學畢業生，連一張便條都寫不通，國文程度一落千丈，良可歎也。』此種感喟之聲，由來已久，初不自今日始。今日大中學生國文程度普遍低落，固是事實，無須否認，亦不必諱言。然而寫一張寥寥數十字之便條，居然錯誤迭出，雖中文系畢業者亦不例外，則問題之嚴重，已足令人怵目驚心，不宜再以杞人之憂視之也。其實便條並非大學問，稍加留意，人人可得而優爲之。顧此雖屬小道，亦不容掉以輕心，致貽人口實。

便條卽簡短之書信，前人稱爲短箋、短書、小牋、小簡、小柬、小札、小字條，凡借書、還物、訪晤、招邀、赴約、辭宴、辭行、餽贈、送禮、稱謝等細事，爲免書牘之繁複，乃以便條表達其意，蓋求其簡單而便捷也。

所謂名片，卽印有姓名之短片，古時稱爲名刺，其作用與便條同。故便條是書牘之變格，而名片又是便條之變式，三者性質相同，作用相同，惟因人、因時、因事、因地而使用不同而已。今人使用名片，多作自我介紹之用，一般名片均印有職銜、姓名、字號、住址、電話號碼，相晤時，只須交換一張，卽可省去若干應對。且拜訪不晤時，可於名片上略書數語，其便利尤勝於便條。今使用名片者日益加多，有陵駕便條而上之勢，其故在此。

第二節　便條的寫法要點

一、遣詞用字須簡明扼要，所有應酬語、客套語均須省略。

二、內容祇寫普通事件，不可談機密問題，以其不用信封故也。

三、便條祇能用於知友，對新交或尊長，非不得已，最好不用。名片則使用範圍較廣，惟對尊長談事，仍以不用爲宜。

四、格式、字體、筆墨均可不拘，但字跡不宜潦草。

五、『稱謂』、『結尾敬辭』、『署名敬禮』、『月日』四項悉與書信同。

六、以空間不多，且時間迫促，故以淺近文言寫作爲宜。

七、便條大都爲派專差遞送，或訪問不遇而留交，若用郵寄，則是書信而非便條。名片如加信封，亦可郵寄，惟多在致謝時使用。

第三節　便條實例

(一)拜　訪

（一式）

來訪未晤，悵甚，因有要事奉商，明晚八時再趨拜，務請　曲留為幸。此上
德潤兄
弟　文蔚留上　即日

（二式）

湘靈姊：今晨來訪，適逢　外出，未晤為悵，明日下午三時當再詣府，請　賜稍待，因有事須面商也。
妹　憶杭拜留　三月十五日

(二)借　款

（一式）

茲有急需，乞
惠借新臺幣叁仟元，以濟燃眉，準於一週內奉還，如蒙　慨允，希交來人帶下為感。此上
思廉兄
弟　廷俊拜啓　五月一日

（二式）

邦麗姊：刻因急用，敬懇　惠借新臺幣陸仟元，約於五日內歸趙不誤㊀，倘荷　允諾，請即交小犬攜回為盼。順祝
刻　安
妹　俞台蓮上　六月九日

(三)借　物

（一式）

刻需文史哲出版社印行之中外學術名著叢刊一套，請　惠借一用，一旬後璧還，決不致有所汚損也。此上

龍光兄

弟　鳳梧啓　即日

（二式）

訪瑜姊：

明日擬與高中時代同學遊覽情人谷，希將攝影機　賜借一用，後日奉還，千祈勿卻爲幸。

妹　左方上　十一月廿八日

(四)還　款

前蒙　借款濟急，隆誼至感，現如數奉還，卽希　點收爲荷。此致

麗燕姊台照

妹　望鄉謹上　十六日

(五)還　物

前承

惠借錄音機，至深感謝，現已用畢，特令小女送還，卽希　檢收爲荷。此上

文淵吾兄

弟　邦夫敬啓　即日

(六)餽　贈

（一式）

一昨訪問金門，購得龍鳳酒兩瓶，特以一瓶相贈，聊表微意，卽希　哂納。此致

思遠兄

弟　孝若上　五月九日

（二式）

玉蓮姊：小女珍華新自美國寄到減肥聖藥數盒，玆奉上一盒，敬希　莞存，早晚各服一粒，短期內或有奇效也。

妹　海汶謹上　五月六日

(七)謝餽贈

（一式）

承　惠佳果，啖之甘美無倫，餘香猶留齒頰，感荷無旣，謹致謝忱。此上

寶瑩姊

妹 洒瑾拜謝 三月三日

（二式）

承　贈佳釀，正弟所需，雲情盛意，卻之不恭，謹拜領，並申謝悃。此覆

桐岡兄

弟 南園拜覆 七月八日

(八)邀宴

（一式）

明晚六時在敝寓潔治非酌，敬請　光臨，幸勿見卻。此請

青山吾兄
宛曲大嫂早安

妹 曉君鞠躬 十月九日

送敦化南路一二四號八樓

林青山先生

（二式）

茂泉先生
夫人：勝新太郎先生伉儷已於昨晚自橫濱來臺，茲定於本月十六日（星期六）下午七時在寒舍略備薄酌，恭候　台光，勿卻是幸。

高俊雄謹約 八月十日

㈨覆赴宴

（一式）

辱承
寵召，曷勝欣幸，謹當如　約前往，奉陪末座，先此致謝。敬覆
廣德兄

弟 澤民拜覆 二月十三日

（二式）

連日食指頻動，知將大快朵頤，果應佳兆，屆時當趨府叨擾也。此覆
嫈嫈姊

妹 韻湘敬覆 十一月十八日

㈩辭宴

（一式）

辱承
寵邀，毋任欣幸，本當敬陪末席，以答　雅意。惟以昨晚忽染微恙，刻仍感不適，不克趨陪，方　命之處，敬祈　鑒諒。此上
邦衡兄

弟 伯庸頓首 四月五日

（二式）

承邀詣
府小聚，本應遵　命，祇以今日妹須歸寧㈡，有拂　盛意，良用歉然，容改日登　堂謝罪。此覆。即祝
祜美姊刻安

妹 懷岳再拜 即日晨八時

【注釋】

㈠歸趙　戰國趙惠文王得和氏璧，秦昭王遺趙王書，願以十五城易之，藺相如請奉使往，曰：『使城入趙而璧留秦，城不入，臣請完璧歸趙。』既入秦獻璧，見秦王無意償城，乃紿取之，使從者懷璧歸。事見史記藺相如傳。後謂原物歸還曰歸趙、奉趙、璧趙、璧還，均本此。

㈡歸寧　女子嫁後歸省父母也。詩經周南葛覃：『薄汙我私，薄澣我衣，害澣害否，歸寧父母。』

第四節 名片實例

(一)拜訪

正面

大洋貿易公司總經理
弟 彭 郎 希祖 頓
五月十六日
留陳
張夢機先生
臺北市永康街八十七號
電話：三四一五九四三

背面

來訪未遇，悵甚。茲有要事奉商，擬明晚八時再度趨訪，請
遲我為感。此上
夢機兄
名正肅

(二)介紹教職

正面

國立中興大學教授
弟 文 匡 邦 再拜
八月一日
謁呈
新竹女中
孟校長
臺北市龍泉街八十四號
電話：三四一五九四三

背面

茲有舍親張祐美君，今夏畢業臺灣大學中文系，有志從事教育工作，特介趨謁，請
賜延見，並進而教之為禱。此致
孟校長
名正肅

(三)介紹工作

正面

臺灣省議員
陳　弟武　信　謹上　七月七日
面塵
林董事長
臺北市民生東路九十八號
電話：七六九四〇三六

背面

世姪吳元章君，畢業育達商職，本月初服
役期滿，欲覓枝棲，特介晉
謁，如有機緣，敬請
賜予培植，無任感禱。
名正肅

(四)介紹就醫

正面

敬煩面陳
張大醫師
三月八日
弟唐　中　平拜上
江蘇江陰

背面

家姊正華女士最近身體虛弱，特慕
名趨
前求治，敬懇
惠爲詳診，感同身受。此上
玉書兄
名正肅

㈤**致送賀禮**

正面

臺北市銀行古亭分行經理
四月九日
妹張敏敬賀
專送
高正明女士
臺北市羅斯福路三段四十三號
電話：三二一〇三八一—六

背面

欣逢
令堂大人六十榮慶，因事不克趨賀，歉甚。
茲奉上水蜜桃一盒，藉頌
福壽康寧，敬希
哂納是幸。此上
正明姊
名正肅

㈥**領謝賀禮**

正面（式一）

承賜水蜜桃一盒。敬謹領
四月九日
妹高正明再拜
謝
回塵
張敏女士

正面（又式）

領水蜜桃一盒
高粱酒一瓶
四月九日
妹高正明再拜
謝
回陳
張敏女士

(七)辭行

正面(式一)

今晨乘機飛日，臨行匆迫，不克踵　府告辭，乞諒。此上
鶴年兄
弟荀家龍拜　六月三日
專陳
朱鶴年先生

正面(又式)

妹今晚乘車南下，行色匆匆，不及走辭，深用歉然，謹此奉　聞，幸祈鑒諒。
薛妹家鳳敬上　即日
留陳
王穎小姐

(八)探病

正面

中國時報主筆
弟錢士毅拜留　即日
敬陳
南喬兄　湖南常德

背面

頃聞　貴體違和，探晤未值，悵念良殷，有暇當再趨候。虔祝
痊安
名正肅

(九)求見

正面（式一）

大同公司業務員

晚 陸琛 拜謁

敬懇
延見

住址：臺北市青田街十二巷十二號
電話：三四一五九四三

正面（又式）

大同公司業務員

敬希
延見

弟 陸琛 拜

昌國兄

住址：臺北市青田街十二巷十二號
電話：三四一五九四三號

(十)拜年

正面（式一）

吾師 履謙
師母

受業 李靈秀 敬叩

即日

花蓮市菁華街二號

正面（又式）

世伯大人 屏翰
伯母

晚 任孝恭 鞠躬

即日晨九時

高雄市新興街二十四號

名片留言，措辭須簡明扼要，良以空間有限，不宜於暢發議論也。文字寫在正面背面均可，迄無定式。惟末尾不必署名，祇寫『名正肅』即可，有時亦可省略。

【說　明】